Kornel Makuszyński

BEZGRZESZNE LATA

Wydawnictwo Zielona Sowa
Kraków

Ilustracja na okładce:
Aleksandra Kucharska-Cybuch

Opracowanie graficzne:
Jolanta Szczurek

Skład i łamanie:
Joanna Czubrychowska

Redakcja:
Iwona Puchalska

ISBN 83-7435-110-1

Wydawnictwo Zielona Sowa Sp. z o.o.
30-415 Kraków, ul. Wadowicka 8A
tel./fax (012) 266-62-94, tel. (012) 266-62-92,
(012) 266-67-98, (012) 266-67-56
www.zielonasowa.pl
wydawnictwo@zielonasowa.pl

rozmowa z zegarem
o bezgrzesznych latach

Czy też pamiętasz, stary mój zegarze,
Jak w słońce twojej tarczy patrzył żak
I marzył o tym, o czym ja dziś marzę?
Pamiętasz jeszcze?
        O, tak, o tak, o tak!

Ode dnia do dnia, od chwili do chwili
Żyliśmy życiu mądremu na wspak,
Godziny marły, a myśmy liczyli
Szczęście na wieczność...
        O, tak, o tak, o tak!

A czy pamiętasz, filozofie stary,
Jakeś fałszywy mi wybijał znak
I wszystkie wokół budziłeś zegary,
Gdym pisał wiersze?
        O, tak, o tak, o tak!

A czy pamiętasz, jak mnie rozpacz dzika
Zdjęła, gdy stary wziął cię Izaak,
Gdyś hebrajskiego uczył się języka,
By mnie nakarmić?
        O, tak, o tak, o tak!

Lub ową chwilę gdzieś na czwartym piętrze,
Gdym gorejący, jak ognisty krzak,
Przysięgał z mocą uczucia najświętsze,
Klnąc się na księżyc?
        O, tak, o tak, o tak!

Lub tę, gdyś starym swym zgrzytnął żelazem,
Słusznego swego gniewu dając znak?
O, jakże smutno płakaliśmy razem,
Gdy nas zdradziła!...
        O, tak, o tak, o tak!

O, jak to dawno, Sokratesie stary!
Złamanym skrzydłem tłucze ślepy ptak...
Serca się psują, psują się zegary,
Wszystko umiera...
                    O, tak, o tak, o tak!

Ale raz jeszcze przypomnijmy wzloty,
Wracajmy myślą na gwiaździsty szlak!
Cofnij wskazówki i lećmy w wiek złoty...
Niech żyje młodość!
                    O, tak, o tak, o tak!

ROZDZIAŁ PIERWSZY

dziecinne argumenty
słonecznego promienia

W chwili kiedy się pochyliłem nad białą kartą papieru i zanim jej dotknąłem piórem, padła na nią smuga słońca. Jak rozigrane złote dziecko, co ma roześmiane oczy, przeszkadza człowiekowi zajętemu pracą, tak oto ten słoneczny błysk, co się oderwał od nieba, igra po moim papierze, po poważnej, sztywnej, pysznej ze swej białości karcie, włazi pod ostre, zirytowane, czernią atramentu płaczące pióro i w wielkiej ciszy mego pokoju – śmieje się, śmieje, śmieje...

Nakrywam tę złotą plamę dłonią – ach! – przeciekła mi przez palce i już jest na grzbiecie ręki; złym wzrokiem i złym westchnieniem odpędzam tego słonecznego motyla, lecz on wciąż powraca, przebiwszy w słonecznym locie zimno szyby okiennej.

O, jaka to pusta zabawa!

Nie mam czasu na igraszki ze słonecznym promieniem, zabłąkanym ze świata. Jestem pełen żalów i pełen goryczy. Oto drży pióro moje, jak żądło podnieconej czymś osy i mimo stu słonecznych promieni, choćby mi słońce każdą chciało wyzłocić kartę, choćby się dzień słoneczny położył na moich papierzyskach i grał, i dzwonił złotem swoich promieni – pióro moje wbije się jak szpon w biel papieru i papier jęknie. Potem czarna, atramentowa krew długimi sznureczkami liter popłynie z zapiekłej rany.

Tak jest! Tak będzie! Czegóż tedy chcesz, utrapiony promyku słońca?

Uderzyłem pięścią w kartę papieru. Zadrżał złoty blask i – lśni się. Nie uciekł, przerażony, lecz jak złoty ptak zatrzepotał się razem z kartą i po chwili – beztroski, znowu śmiać się zaczyna i po papierze krąży, i śmieje się, śmieje, śmieje.

Daremna jest walka z pustotą.

Jestem jednak człowiekiem łagodnym, nie będę wiódł walki – z czym? z kim? – z mizernym promykiem! Czy uderzyłem kiedy roześmiane dziecko? Nie. Uczynię więc ustępstwo, niegodne dojrzałego serca, i będę się starał wytłumaczyć złotej swawoli, że jest niedowarzona, dokuczliwa i natrętna jak mucha. Pochylam więc twarz nad niecierpliwą i już bladą z pasji kartą i zbliżywszy usta do złotego blasku, co żywy i niespokojny wałęsa się po niej, mówię szeptem:

– Miły promyku! Mógłbym cię zamordować jednym ruchem, potrzebnym na zasłonięcie okna, jednak tego nie uczynię, bo mi cię żal, jesteś bowiem dzieciak i żak, łobuz utrapiony, co na mój wiek nie zważając, wpada przez okno jak szalony, buszuje po moim stole i plami złotem moje kartki papieru. Ale widzisz, dziecko słoneczne, żeś nie w porę tu przyszło. Przeszkadzasz mi i jesteś natrętne. Czoło moje jest zmarszczone i zmarszczone jest moje serce. Widziałeś pewnie, że na drzewie więdnącym kora się marszczy i boleśnie pęka? Oto spójrz, a jeśli to pojąć potrafisz, zrozumiesz, że tak więdnie we mnie serce. Oznacza to, że jest ono chore, bo je zgryzł czerw, zły i złośliwy robak smutku. Bo i jakżesz ma ono kwitnąć i szumieć radośnie weselem krwi, kiedy dokoła jest ponuro i smutnie? Kiedy wszystko dokoła napełnione jest troską i zgryzotą, a rozpacz siedzi opodal na gałęzi, jak sowa, co wróży śmierć? Przeto w tej chwili, kiedy tak nieopatrznie przyszedłeś, chciałem się właśnie użalić nad sobą i pisać tak, aby każda literka moja miała okrągły kształt łzy. O, promieniu! Urodzony ze szczęścia, więc szczęśliwy! Nie wiesz, co to jest gorycz i żal, i utrapienie. Nie wchodź więc do umarłego ogrodu, w którym kwiaty powiędły i w którym ścieżyny zarosłe są zielskiem złym i jadowitym. Tyko my, ludzie, którzy umieramy, znamy dobrze drogi na cmentarzach i przechadzki wśród grobów. Sprawia nam to dziwną, niepojętą dla ciebie przyjemność, bo ty podobno nigdy nie umierasz. Odejdź więc, stworzenie złociste, bo nic tu po tobie. Pozwól mi płakać i nie przeszkadzaj, bo chcę, aby moje umartwienie było piękne, nadobne i uwodzące. Ponieważ ja płaczę, więc chcę, aby razem ze mną płakali inni, jestem bowiem człowiekiem, a człowiek rad z bliźnim swoim podzieli się goryczą i łzami. Odejdź więc! Błagam cię, odejdź, bo cię zabiję jak bezbronnego ptaka. Policzony jest mój czas i zegar mój jest nieumęczony, idzie, idzie wciąż uparty jak nieszczęście. Zbliża się noc, miła pora ludzi smutnych i bolejących. Odejdź, zniknij, bo się wyczerpie moja dobroć łagodna i nie będę mógł pohamować niecierpliwości. Wtedy, pióro chwyciwszy, przebiję cię na wylot i zginiesz złotą śmiercią, niemądry okruchu słońca, pusty roztrzepańcze, uśmiechu nieba...

– Nie uczynisz mi nic złego! – zaszeleścił wesoło promień.

– Na wszystkie ciemne potęgi! – zawołałem bez głosu – Oto zapłata za moją dobroć. Ten żak słoneczny waży się na rozmowę ze mną! A skądże taki jesteś tego pewny, że ci nic złego nie uczynię?

– Znam cię! – odrzekła złota okruszyna. – Ty jesteś tym, który mnie kocha.

– Nie kocham cię i nie chcę cię widzieć. Jestem przeraźliwie smętny!

Złota jaśń zatrzepotała się jak motyl. Złoty uśmiech zamigotał na białej karcie.

– Twój smętek jest wart śmiechu!

– Mój smutek jest tragiczny...

– Smutek jest jak czarny cień, który rośnie i wydłuża się, i pusty jest jak cień. Nic łatwiejszego, jak odpędzić czarną zmorę cienia. Ale ludzie bawią się smętnym swoim cieniem, bo im się zdaje, że to ponura ich dusza wypełzła z nich i leży rozpostarta krzyżem na prochu ziemi. A ten smutny cień to jest pajac, co jak małpa naśladuje człowieka. Cień oszukuje człowieka, swojego pana. Człowiek łatwo da się oszukać i smutek czyni z nim, co zechce.

– Ach, co za mądrość! Ach, jakie głębokości!

– Jestem mądry mądrością dziecka... Jestem mądrością radości. Radość wielkim jest mędrcem, bo radość stworzyła słońce i świat. Twój smutek niczego nie urodzi.

– Mój smutek jest piękny.

– Na świecie wszystko jest piękne, nie ma na nim nic brzydkiego, lecz najpiękniejsza jest radość.

– Promieniu, mówisz rzeczy banalne.

– Być może, bo mówię to od początku świata. Jeszcze świata nie było, a ja już śpiewałem o tym jak ptak.

– Jest to filozofia dla dzieci...

– Więc najwyższa i najczystsza. Jeślibyś umiał pisać tak, aby cię każde dziecko pojęło, byłbyś wielki. Ale tego żaden człowiek jeszcze uczynić nie zdoła, więc się nie martw. Dopiero za siedem tysięcy lat będą ludzie do siebie przemawiali tak cudownie.

– Ach, jakimiż to słowami będzie śpiewała ta cudowna mowa?

– To nie będą słowa, to będą blaski. Ja będę w każdym takim dźwięku. Każdy dźwięk będzie złoty, ciepły i skrzydlaty. Taki jak ja. Za siedem tysięcy lat...

– Czemuż tak późno?

– Bo jeszcze dookoła ludzkiego serca jest gruba, twarda skorupa, myśl ludzka jest jeszcze ociężała i nie ma skrzydeł, jak poczwarka. Człowiek jest jeszcze ślepy i nie widzi złotego pyłu w powietrzu i jest jeszcze głuchy – nie słyszy, jak śpiewa i gra każdy atom, każde lśnienie i każdy pyłek.

– A ty to słyszysz?

– Ja sam dźwięczę. Wytęż słuch! Oto dźwięczę!... Słyszysz?...

– Nie słyszę, zwodzisz mnie!

– Nie zwodzę. Ja nie mogę kłamać, tylko ty jesteś biedny i nieszczęśliwy. Już mnie widzisz, ale nigdy nie usłyszysz. Są jednak tacy, co mnie czują, nie widząc nawet. Ci są lepsi od ciebie.

– Któż to taki?

– Raz siedziała pod murem zziębnięta, ślepa, biedna dziewczynka. Przebiegałem właśnie ulicą, więc zatrzymałem się i położyłem się na jej ślepych oczach. Wtedy dziewczynka...

– Cóż ta dziewczynka?

– Podniosła rączęta do oczu, jakby mnie chciała schwytać. Poczuła mnie, nie widząc... I stało się coś cudownego: to biedactwo się uśmiechnęło, a ja byłem szczęśliwy.

– Przeceniasz się, złota okruszyno...

– Nie! Jestem pokorny promień słońca. Czasem nie waham się i padam na brzydką buzię, która się wtedy staje śliczna.

– Po cóż takie poświęcenie?

– Po to, aby było pięknie na świecie. Umiem jednak czynić rzeczy bardzo trudne i czarodziejskie. Chcesz mnie słuchać?

– Mów zresztą, bawisz mnie...

– Dobrze! Raz upadłem na serce straszliwego człowieka, który był zły, skąpy i okrutny. Ten człowiek uśmiechnął się po raz pierwszy w życiu i zaczął czynić dobrze.

– Możliwe!

– Ale to nic, to drobiazg. Wiesz, jaki naród na świecie jest najbardziej twardy i który ma duszę wyziębłą i nieużytą?

– Wiem, Anglicy.

– Tak, oni. Otóż raz, kiedy wielka mgła opadła, znalazłem się w Anglii, wesoły, wędrowny promyk. Tam spotkałem Anglika, który miał dobrą twarz i wesołą brodę. Podobał mi się, więc przez jego oczy wszedłem w jego duszę. Stało się coś niesłychanego. Ten człowiek stał się tak dobry, tak cudownie dobry, jak gdyby nigdy nie był Anglikiem. Mówił tak słodko, że ludzie, że nawet Anglicy mieli łzy w oczach. Ja to sprawiłem!

– Któż to był taki?

– Już umarł! Nazywał się Karol Dickens. Umiał rozmawiać nawet ze świerszczem, nawet z imbrykiem pełnym wody. Ogromnie go lubiłem.

– Przyznaję, że pięknie uczyniłeś.

– Bardziej jeszcze lubiłem jednak innego człowieka. Pochodził on z twojego kraju. Kochałem jego, a on kochał mnie. Ogrzałem każde jego słowo tak, że każde było do mnie podobne. O, jak cudowne serce miał ten człowiek! W duszy jego miałem gniazdko, jak ptak.

– Mów, mów... jak się nazywał?

– Bolesław Prus... Cóż to, uśmiechnąłeś się z rozrzewnieniem?

– Wszystko jedno... Znałeś jeszcze kogoś podobnego?

– O, wielu, wielu znałem takich ludzi. Ale tych dwóch najbardziej chyba lubiłem. Ach! Przypominam sobie... Jeszcze jednego kochałem. Pisał książki. Ja siadywałem mu wtedy na czole albo na oczach, albo na jego ramieniu i po obsadce pióra spływałem na papier. On się uśmiechał i piórem rozprowadzał mnie po białych karteczkach. Jak to on się nazywał? Aha! Edmund Amicis... Tak, tak się nazywał.

– Amicis!... I on cię kochał?

– Bardzo!

– I to ty pisałeś z nim te książki?

– Ja nie, ja nie umiem. Ja tylko czyniłem jasność dookoła albo ich zmęczone i smutne oczy ocierałem łagodnie, aby nie było na nich smutnego spojrzenia. Nie potrzeba przecie, aby wszyscy byli smutni i pełni goryczy. Pewnie, że tacy muszą być, co się gryzą w sercach, bo muszą walczyć z tym, co jest dla nich najstraszniejsze, z czarną nocą. To są niezmiernie wielcy ludzie. Wszyscy jednak tacy być nie mogą. Więcej potrzeba takich, co nauczają słodkiej miłości, co w dłonie umieją nabrać blasku, jak różanej wody, i niosą potem to złoto cudowne, i rozdzielają między najbiedniejszych. Ludzie są jak ta wynędzniała, zziębnięta i ślepa dziewczynka, której ja darowałem wielki dla niej skarb – uśmiech. Trzeba ich pocieszyć i ogrzać serca. Czy przyznajesz mi słuszność?

– Zastanowię się...

– I już mnie nie odpędzasz?

– Prawdę mówiąc, to jesteś stworzeniem wcale miłym i zabawnym. Więc tak bardzo nie znosisz goryczy?

– Umieram, gdy się znajdę w jej pobliżu.

– Łatwo tedy możesz umrzeć, gdyż moje serce jest pełne goryczy.

– Nie! Ja przecież widzę twoje serce.

– Och! I myślisz, że kłamię?

– Nie kłamiesz, lecz się łudzisz. Twoje serce jest pełne miłości.

– Ach, banialuki!...

– Nie! To prawda. Spójrz w swoje serce. Patrzysz?

– Patrzę...

– Oto jest pełne miłości dla nieszczęśliwych. Rozrzewnione jest i smutne, ale dobrym, łaskawym smutkiem, że jest takie biedne, ciche i pobożne i nie może niedoli ludzkiej dać więcej niż wszystko, co w nim jest, nic więcej prócz uśmiechu. Widzisz?...

– Na Boga, nie widzę nic...

– Ach, tak! Nie możesz widzieć, bo ci zwilgotniały oczy... To dobrze! Zaraz z nich spłynie wszystka czarność i wszystek mrok. Ty nie jesteś złym człowiekiem.

– Nie! Nie!

– Jakże się cieszę!... Cóż to? Już masz oczy jasne? Uśmiechasz się?

– Cicho, cicho, promyku!

– Kocham cię za to... O, gdybyś wiedział, tobyś nawet udawał uśmiech, aby im ulżyć.

– Czy można ulżyć nędzy uśmiechem?

– Tak, uśmiechem pełnym tak słodkiej miłości, aby była słodszą niż chleb. Nędza i cierpienie jest największą zbrodnią świata i czymś tak straszliwym, że Bóg posmutniał.

– A ludzie?

– Ludzie wymyślili drugą hańbę: dobroczynność. Rzuca się kęs spleśniałego chleba i chce się za to iść do nieba. Więc wszystko na świecie prócz ludzi chce pocieszyć nieszczęśliwych: słońce, księżyc, wiatr, las i morze; gwiazda i kwiat, i ja, promień zabłąkany wśród rozpaczy.

– Cóż mogę ja, człowiek?

– Mało; wiem, że mało. Możesz jednak uczynić, co ja czynię. Niewiele to, prawie nic, ale większą jest ofiara pokornego serca niż złota ofiara bogacza. Możesz iść moją drogą, tu i tam, i wszędzie.

I choćbyś miał w duszy tysiąc zgryzot, a w sercu morze łez, znajdź jednak na jego dnie uśmiech.

Położysz go na spłakanych oczach, a uśmiechną się.

Położysz go na ustach spragnionych, a wyda się im jak kropla rosy.

Położysz go na serce zziębnięte i ogrzejesz je.

Pokażesz go duszy udręczonej, a ona na moment jeden zapomni o udręczeniu.

Uśmiechem miłości zapełnisz noc bezsenną i pełną zgryzoty, zetrzesz nim z warg ludzkich słowo przekleństwa.

Uśmiech jest wielkim szczęściem ludzi bardzo biednych, którzy sami już go w sobie nie znajdą. Uśmiech jest złotym dzieckiem miłości, a oni mają serca wyschnięte, już bez miłości. Trzeba im ją przypomnieć.

– Słowa moje są bez siły...

– A cóżeś ty, człeczyno mizerny, myślał, że tak potrafisz jak tamci, o których ci mówiłem? Nie zdołasz... Znasz jednak drogę, którą szli?

– Wiem, od serca do serca.

– Tak, nie najgorzej pomyślałeś. Więc mów, jak potrafisz...

– Ale o czym?

– O czym? O wszystkim! Miłość jest wszędzie i we wszystkim.Uśmiech lata jak ja, promień słoneczny. A serca ludzkie są niepoliczone. Opowiadaj bajki tym, których nawet bajka, sieroca, biedna bajka odbiegła, przeraziwszy się naszczekiwania złego psa zgryzoty. Lecz tylko całym sercem, całą duszą kochaj wszystko biedne i tą miłością napełnij tak słowa swoje, aby były jak pszczoły, słodyczą obarczone. I każ im lecieć, jak pszczołom, na wszystkie strony świata...

– Nie potrafię, boję się...

– Ach, człowieku utrapiony! Płakać potrafi z was każdy, tylko śmiać się nie potrafi!

– Ja już próbowałem.

– I nie udało się. To nie był uśmiech, lecz konwulsja. Teraz ja ci pomogę... Widzisz mnie?

– Widzę...

– Oto przebiegam karty twego papieru. Słyszysz, jak szeleszczą?

– Słyszę...

– Teraz spłynąłem na twoją rękę... Teraz wyżej... wyżej...

– Gdzie jesteś?

– Na oczach twoich. Co widzisz?

– Widzę złote koła wirujące...

– Co jeszcze? Co jeszcze?

– Widzę miliony ludzkich oczu, które patrzą w pustkę albo są pełne łez.

– Co jeszcze? Co jeszcze?

– Widzę głód, który kąsa, i śmierć, która zabija. Na pomoc, na pomoc!

– Nie, ty ich ocalisz... Spływam z oczu twoich, bobyś się przeraził.

– Gdzie jesteś, promieniu?

– Co czujesz, człowieku?

– Czuję słodycz w moim sercu i tkliwość tak rzewną, że jestem jak dziecko. Gdzie jesteś?

– Jestem w sercu twoim... I już cię nie opuszczę... Teraz pisz, bo zmrok zapada. Pisz o każdym pyłku nawet, bo wielka miłość pyłek w świat zamieni. Młodość jest pyłkiem słońca... O niej pisz, o niej...

ROZDZIAŁ DRUGI

cielęcy żywot

Czytałem gdzieś o takim jednym, co życie miał tak ciężkie, że wolał umrzeć zaraz po urodzeniu. Nie miałem nigdy zdolności widzenia rzeczy przyszłych, bo urodziwszy się, zamyśliłem się głęboko, wreszcie, machnąwszy ręką, postanowiłem żyć dalej. Teraz dopiero widzę, że był to z mojej strony pomysł dość niefortunny. Tego samego zdania muszą być nieszczęśliwi czytelnicy moich książek.

Tajemne potęgi jednakże, które widzą przyszłość i znają zakryte losy przeznaczeń, ujrzawszy mnie na świecie, zadrżały. One jedne wiedziały, że się narodził potwór. Uczciwe te potęgi widocznie chciały mnie odwieść od nierozumnego zamiaru kontynuacji życia i próbowały mnie przerazić. W tym celu niedługo po moim urodzeniu spaliło się małe miasto, w którym się zjawiłem z niebytu. Paliło się ono przez kilka dni, co na mnie najmniejszego nie uczyniło wrażenia, o pożarze tym bowiem dowiedziałem się dopiero w kilka lat później, co już było poniekąd bezprzedmiotowe. Natura jednak i jej utajone moce, wciąż patrzące na mnie zezem, niechętnym i złym wzrokiem, wznowiły swoje wysiłki, aby mnie przerazić rozpętanym żywiołem. Rodzinne moje miasto stało, raczej waliło się, nad bystrą górską rzeką, która, przez owe ciemne potęgi podszczuta, raz w raz każdej jesieni i każdej wiosny wylewała straszliwie. Rzeka niosła domy i sterty, belki i krowy, i najrozmaitszy sprzęt, biednym ludziom potrzebny do życia. Patrząc na to rozpętane szaleństwo wody, każdy człowiek powinien zadrżeć w sercu nieulękłym. Przypuszczam, że ten cały rwetes i cała ta wściekła parada miała przede wszystkim na celu wywołanie piekielnego strachu w mojej duszy, o której natura wiedziała, że wyrośnie na potwora piszącego wiersze. Potężne te pomysły stale chybiały celu. Nie było bowiem wówczas dla mnie i dla moich przyjaciół, z których najstarszy – herszt, miał lat dziesięć, większej i wspanialszej zabawy jak taka wielka powódź.

Boże drogi! Gdzieś coś daleko ryczy, wścieka się, pieni i burzy; oszalała rzeka chwyta rękoma i zębami za filary mostu, trzęsie nimi, podważa je, wykręca, wreszcie z wrzaskiem radosnym lub z głuchym bulgotem zadowolenia łamie je lub wyważa, most pęka w stawie pacierzowym, drży z bólu, trzeszczy rozpaczliwie z męki, trzyma się kurczowo drewnianymi łapami brzegów, wreszcie zaczyna mu braknąć sił, omdlewa, aż się bezsilny wali na fale. Czyż to nie piękne? A czy to nie śmieszne, kiedy ludzie brodzą po ulicach jak kaczki, a w domach nie opodal od rzeki stojących mogłeś w pokoju, usiadłszy na komodzie, łowić ryby, jak Gaweł?

W razie takiej wielkiej powodzi nie było mowy o chodzeniu przez parę dni do szkoły, wskutek czego słusznie uważaliśmy powódź za jedno z lepszych boskich błogosławieństw. Inne też bowiem, równie wspaniałe, były z takiej powodzi korzyści. Po opadnięciu wód można było w zagajnikach nad rzeką znachodzić rzeczy niebywałe i zdumiewające, Bóg wie, skąd przyniesione: utopioną kurę, kołyskę, w której leżał pies, złamane krzesło albo pustą beczkę. Wszystkie te przedmioty nadawały się cudownie do umeblowania srogiego indiańskiego obozu, były to bowiem groźne czasy *Ducha puszczy, Pływającej wyspy* albo *Doliny bez wyjścia*. W łęgach nadrzecznych, skąpanych w słońcu, było wiele obozów indiańskich, rozmaite zaś szczepy wiodły z sobą walki srogie i pełne przemyślnych podstępów.

Najbardziej krwawym wodzem był jeden straszny chłopiec, który się po cywilnemu nazywał Staszek, a kiedy wstąpił na ścieżki wojenne, zwał się „Krwawy Byk". Obóz jego plemienia mieścił się w „grocie", która była głęboką jamą po wykopanej glinie, plemię zaś składało się poza wodzem z siedmiu drabów dziesięcioletnich; była to banda Komanczów, bardzo krwawa i bezczelna. Wódz ich zrobił na tej godności olbrzymi majątek, bo samych stalówek miał z rozboju kilka tuzinów, poza tym brał każdy łup: scyzoryki, ołówki, bułki z masłem albo jabłko. Najbliższe plemiona, szczepy tchórzliwe, o sercach jelenich, haniebnie mu się opłacały za spokój i nieprzeszkadzanie w wielkich wojnach, dalsze jednak próbowały buntu i walki. Krwawy Byk dyszał zemstą i zapowiadał wyrżnięcie do ostatniej nogi szczepów wojowniczych. W jednym takim szczepie niepodległym byłem ja; nie odznaczałem się wprawdzie zbytnim zapałem do walki, lecz uchodziłem za znawcę wszystkich zwyczajów indiańskich i języka.

Bóg świadkiem, że szczep mój nie chciał wojny. Wodzem naszym był dobry chłopczyna, ale bardzo zezowaty i bardzo piegowaty, wskutek czego łatwo osiągnął godność wodza. Takiej gęby przeraźliwej nie można było chyba znaleźć wśród prawowitych Indian. Bez dekoracyjnego aparatu wodza chłopiec ten mógł swoją twarzą przestraszyć niejednego, cóż dopiero, kiedy nałożył na rozmierzwiony łeb papierową obręcz, nadzianą kogucimi piórami, a w dłoń ujął straszliwy tomahawek drewniany, ale oblepiony srebrnym papierem i popstrzony plamami czerwonego atramentu, co oznaczało krew „bladych twarzy"! Ha! Straszliwie wyglądał ten wódz, kiedy zatoczył zezowatym wzrokiem! Najodważniejszym robiło się zimno. Całe szczęście, że kiedy który z poddanych czymkolwiek się zniecierpliwił i podniósł się do orężnej rozprawy z wodzem, wódz zmiatał jak jeleń i już wtedy nie był straszny, bo z tyłu nie miał oczu. Może dlatego zwał się „Jeleń Rączy".

Za ciasno było w chaszczach nad rzeką dla dwóch takich znakomitości, jak piegowaty Jeleń i jak Krwawy Byk, którego serce nieznośnie bolało, że nie ma takich piegów i musi twarz, chcąc ją uczynić dziką, smarować gliną albo sadzą, co trzeba było zmywać w chwili powrotu do domu i do cywilizacji. Stąd zapewne pochodziła ta głęboka nienawiść do naszego poczciwego wodza, któregośmy bardzo zresztą kochali, bo wśród wszystkich szczepów, ściślej i niepoetycznie mówiąc, w całej szkole nikt tak cudownie nie umiał podpowiadać, jak Jeleń Rączy. To był prawdziwy Indianin! Nie poruszał ustami, a wszystko słyszałeś. Musiał mieć jakieś niezwykłe urządzenie w brzuchu.

Przychodzi raz do niego Indianin z jakiegoś pokrewnego szczepu i powiada:

– Antek! Masz stracha?

– Albo co?

– Ja coś wiem, ale nie powiem.

– To po co mówisz?

– Bo mi cię żal...

Jeleń Rączy pobladł. Tylko sokole, bystre oko mogło wśród jego piegów dojrzeć oznaki bladości.

– Jak nie powiesz, to cię Pan Bóg pokarze.

– A dasz słowo, że nie powiesz, że to ja?

– Daję słowo!

– Honorowe?

– Potrójne! I jak Boga kocham, że nie powiem.

Skupiliśmy się wszyscy, bo powiało tajemnicą.

– To ci powiem: Staszek chce cię zakatrupić!

– Jaki Staszek?

– Krwawy Byk!

Śmierć zaśmiała się głucho, tak że po nas poszedł dreszcz.

– Skąd wiesz?

– Bo myśmy podsłuchali ich naradę. Staszek chce cię wziąć do niewoli i zdjąć z ciebie skalp.

– Nieprawda!

– Jak Boga mego kocham! Myśmy słyszeli, jak on przysiągł na cienie ojca i na Wielkiego Ducha!

– Na Wielkiego Ducha też?

– Tak! Masz pietra?

– Ja się nikogo nie boję! – szczęknął zębami Jeleń Rączy.

– Nie gadaj! Bo ja bym się bał... Ten Staszek jest morowy, on nie przysięga tak sobie, z łaski na pociechę. Ty się pilnuj!

Zrobiło się cicho, gdyż zdradzone groźby Krwawego Byka były nalane krwią. Na lekcji w klasie nastrój był ponury, wielka tajemnica bowiem stała się już publiczną i wszystkie serca były pełne grozy. Wiedzieliśmy, że z Bykiem Krwawym żartów nie ma; był to dryblas ogromny, silny i miał długie, małpie ręce, do tego zaś ojciec jego był krawcem. Trudno odgadnąć, dlaczego zajęcie jego ojca miało znaczenie dla wielkiej sprawy, faktem jest jednak, że i ono wniosło nieco niepokoju do naszych rozważań. Niezbadany jest bowiem tajemny splot zdarzeń.

Rozpoczęły się knowania, szelesty i szmery. W naszym wodzu ujrzeliśmy zupełny upadek piegowatego ducha, co zapowiadało nieszczęście. Był to chłopczyna serdecznie dobry i straszny nędzarz; żywił się, właściwie żywili go, suchym chlebem i zupą z czosnku bez żadnej okrasy i tylko w jakieś wielkie święto dostawał od przyjaciół bułkę, nasmarowaną masłem, za genialne podpowiadanie. Bułki tej sam nie jadł, bo połowę odnosił swojej młodszej siostrze, miłemu stworzeniu, co mając siedem lat nosiła wodę ze studni, prała parcianą bieliznę i szorowała wyłupiastą, wzdętą od wilgoci podłogę w nieszczęsnej izdebce. W szkole małego miasteczka wszyscy znają wszystkich i wszystko o sobie wiedzą; w dobrych chłopięcych sercach ten chłopak budził rozrzewnienie nieświadome.

Zapowiedź srogiego nieszczęścia, co teraz nad nim zawisło, wielkie tedy uczyniła wrażenie. Jeleń Rączy nie jest zdolny do walki i skończy się ona dla niego sromotnie, podbiciem oka, rozbitym nosem lub czymś podobnym takim, co jednak było drobiazgiem wobec hańby, która mogła spaść na cały nasz szczep, na całą naszą klasę, na której nie było zmazy i w której nikt nie znał trwogi – to znaczy nie znał trwogi przed byle Bykiem Krwawym – mowa jest bowiem o trwodze obrażającej poczucie honoru, a nie ma mowy o trwodze, rzec można, zawodowej i sercu ludzkiemu przyrodzonej, przed giętką trzciną w domu i w szkole. Tego może się bać bez obrazy honoru sam Bonaparte. Daremną jest walka człowieka przeciwko kamiennej, serca pozbawionej tradycji, która z bohaterskiego ducha czyni niewolnika i czasem odwraca bohatera odwrotną stroną jego walecznego medalu, przegina go na kolanie i w gwałtownym rytmie poniewiera jego człowieczeństwo, które – oburzone do głębi – wrzeszczy i wymachuje nogami.

W tym wypadku szło o honor ludzi wolnych, którzy nie mogli pozwolić, aby ich wodza, wybranego za wspólną zgodą, niegodziwie pobito. Wolny duch krzyknął w nas: Nie pozwalam! Byliśmy rycerscy i wspaniali. Łatwo jednak krzyknąć: nie pozwalam! – ale jak nie pozwolić? Zadumały się przelękłe nasze dusze i weszły w siebie, wszedłszy zaś, ujrzały bezradnych matołów, nie wiedzących, co czynić.

Instynkt samozachowawczy, nieuświadomiony i wcale rozgarnięty dyplomata, podszepnął nam to, co zazwyczaj podszeptuje wielkim mężom stanu: związki i alianse zaczepno-odporne. Krwawemu Bykowi nie damy rady osobno, ale przecież damy mu radę razem. Największy bęcwał pojął to w lot i nie szczędził ofiar, aby nasz grecki partykularyzm związać w chwili niebezpieczeństwa w potęgę zwycięską. Polityka nasza owych czasów dlatego jeszcze przypominała politykę europejską, że za przymierza słono trzeba było płacić. Nie myślę, żeby wielkie mocarstwa brały z nas wzory pod tym względem, widocznie jednak już w małych chłopiętach kiełkują polityczne zdolności i brak złudzeń idealistycznych w tych sprawach jest zupełny.

Po rozejrzeniu się wśród indiańskich potęg, buszujących każdego popołudnia wśród nadrzecznych łęgów, wybraliśmy cztery szczepy w łącznej sile piętnastu chłopa, razem z wodzami i synami wodzów, bo i takie urzędy też istniały. Jeden z wodzów miał wspaniały łuk i trzy strzały, bardzo pierzaste i dziko furczące w locie, który pożerał czasem odległość pięciu kroków. Wiadomo zaś, że z takiej odległości, przy dobrych chęciach strzelającego i przy równie wielkiej i życzliwej uprzejmości przeciwnika, który chce być zastrzelonym, można go trafić nawet w oko. Drugi z wodzów posiadał szczególną broń, ściągnięte z domu – obcęgi. Przyznaję, że na pozór nie jest to broń efektowna, jak armata na przykład, i zły wojownik nie wiedziałby zgoła, co począć w starciu z obcęgami. Nie było jednakże wśród nas złych wojowników, lecz Bayardy* i Bonapartowie. Wiedzieliśmy, że w walce należy być lwem, ale trzeba czasem być lisem. O! Znaliśmy dobrze *Powrót Ulissesa do Itaki*, cudowną opowieść z obrazkami. Dla przemyślnego wojownika obcęgi są bronią okropną i straszliwą, bo pomyśleć tylko, co się dzieje z wrogiem, jeśli rycerz, uzbrojony w obcęgi, zajdzie go z tyłu i jak rak chwyci jego łydkę w kleszcze? Wróg drze się jak opętany i zdumiony nieznanym sposobem wojowania, haniebnie się poddaje. Obcęgami można by też wyrwać wrogowi wszystkie zęby po kolei, gdyby był tak uprzejmy

---

* Bayard Pierre du Terrail (1473-1524) – francuski oficer „bez trwogi i skazy", uważany za wzór rycerza.

i stał spokojnie przez godzinę z otwartą paszczą. Mówię „paszczą" – bo rzecz jest o wojnie.

Dwaj inni wodzowie zaprzyjaźnionych szczepów były to zwyczajne łapserdaki, którzy mieli, tak jak i my, tomahawki z drzewa, lwy jednak mieszkały w ich sercach. Nie to jednak skłoniło nas do zawarcia z nimi przymierza na śmierć i życie, lecz względy nierównie głębsze. Do zwycięzenia wroga potrzeba nam było nie tylko brutalnej pomocy, o którą łatwo; przede wszystkim jednak trzeba nam było siły moralnej, potężnego zewu, głosu pioruna, na którego głos serca rwą się w piersi z okrzykiem: „Śmierć lub zwycięstwo!"

Oto jeden z wodzów miał taki piorun, miał taki przyrząd, takie narzędzie zaczarowane, na którego głos blednie śmierć, a zwycięstwo przybiega z okrzykiem. Wódz ten, zwany „Ponury Grzmot", był synem miejskiego policjanta, ten zaś policjant miał bęben, który czasem grzmiał na rynku, jak salwa piorunów podczas wielkiej burzy; na jego głos zbiegali się przerażeni ludzie, a policjant wytłukłszy palcatami wspaniałe to muzyckie narzędzie, uciszał je, po czym wykrzykiwał w imieniu miasta, że pan burmistrz kazał, aby jutro wszystkie świnie w mieście były zamknięte, a nie wałęsały się po ulicach, bo przyjeżdża do miasta generał, więc aby wstydu nie było, bo takie ścierwo, co nakazu nie uszanuje, pójdzie do ciemnicy na dwie doby. Policjant ten to był Stentor, to był donośny herold miasta, a jego bęben szerzył poszanowanie i nieomal trwogę. Drugi bęben, jego syn, zabierał mu czasem bęben urzędowy i przynosił go do nas, do chaszczów nad rzeką. Wtedy się odbywał sąd ostateczny, gdyż każdy chciał bębnić, a sztuka polegała na tym, kto to uczyni najdonośniej. Na trzy mile wkoło ucichały przerażone wszystkie ptaki, ryby zdenerwowane ciskały się w rzece jak szalone, chrabąszcze spadały z drzew, święci Pańscy wyglądali z nieba, zatykając uszy, ze zgrozy pobladli, a drzewa szumiały w trwodze, nie mogąc uciec. Tylko nasze dusze, pełne piekielnej wrzawy, nurzały się w niej, pływały po niej jak po topieli. Wrogowie z innych szczepów zjawiali się na widnokręgu trwożni i płochliwi, lecz zahipnotyzowani potęgą grzmotu, przychodzili aż do jego źródła, oczarowani.

Ten to bęben potężny, dziwo świata, grzmot miasta, jego krzyczące sumienie, właściwa jego władza, bo burmistrza nikt się nie bał – został naszym sprzymierzeńcem. Kto miał ten grzmot w rękach, ten mógł być pewnym zwycięstwa. Nie można pognębić Jowisza ryczącego grzmotem, a w ręku ściskającego pioruny.

Wiele nas to kosztowało. Sojusznik nie był głupi i znał czarodziejstwo tego instrumentu, przypinającego duszom skrzydła i dającego hart sercom; jak polityk wytrawny, godził się na przymierze odporne, a słuchać nie chciał o zaczepnym, dyplomacja zaś nasza zdążała mądrze i słusznie do natychmiastowej zaczepnej wojny, aby wrogowi nie dać czasu na mobilizację i przygotowanie materiału wojennego. Chodziły bowiem głuche wieści, że Krwawy Byk ma znajomego z drugiej klasy gimnazjum, który ma stary pistolet; jeśliby mu się udało zawrzeć z nim przymierze, bylibyśmy zgubieni. Jeden wystrzał rozpędzić by potrafił całą naszą szkołę; liczyliśmy tylko na to, że Krwawy Byk będzie się sam bał wystrzału i pociągnięcia za cyngiel. Mógł jednak strzelić i uciec. Wiedział o tym syn policjanta i bardzo się drożył. Stanęło na tym, że zaprzysiągł pakt i zobowiązał się do wojny zaczepnej z ciągłym warczeniem bębna, pod ciężkimi jednak warunkami:

1) wojna nie mogła odbyć się we czwartek, gdyż tego dnia jest zawsze targ w mieście i bęben urzęduje wtedy z jego ojcem;

2) bębna nikt poza nim nie dostanie do rąk;

3) będzie na nim wybijał takt, jaki mu się podoba;

4) dostanie za to szesnaście stalówek, pięć ołówków, dwa scyzoryki, dwie tabliczki czekolady i książkę *Puszcza wodna w lesie*; jego wojownicy też zostaną obdarowani;

5) w razie wygrania wojny jeden z naszych wojowników nie ma prawa przeszkadzania mu w poślubieniu swojej siostry, która jest w pensjonacie i którą on uwielbia.

Ciężkie to były warunki, lecz trudno...

Ostatni warunek, który był zapowiedzią brzydkiego mezaliansu, bo siostra owa była baronówną, nieco nas zaskoczył, nie przypuszczaliśmy bowiem, że się smarkacz już chce żenić, ale to już jego sprawa prywatna. We wszystkich wielkich pociągnięciach politycznych czają się takie historie prywatne. Więcej nas bolały dwa scyzoryki niż baronówna, trzeba jednak było płacić. Bohaterski poryw szybko zgromadził okup za przyjaźń, wiedząc, że bez bębna nikt nie zwycięży. Wrzawa jest jednym z decydujących momentów w walce. Żydy wojujące w Starym Testamencie zawsze bardzo krzyczały, a już kto, jak kto, ale chyba Żydy dobrze wiedzą, co robią.

Obóz nieprzyjacielski, zdradę knujący, niczego się nie domyślał. Krwawy Byk był pewny, że napadnie na nie przygotowanych, zbyt zresztą dufał w imię swoje i w grozę budzącą swoją sławę. Zdrajców w naszym obozie nie obawialiśmy się wcale, bo wszyscy przysięgli tajemnicę, co nie było wprawdzie murowaną rękojmią pewności, lecz do aktu przysięgi dodano klauzulę prywatną, że zdrajca zostałby pobity przez wszystkie szczepy w sposób niepomiarkowany i na wieki wieków grozę i przerażenie budzący. To było cokolwiek pewniejsze.

O, Krwawy Byku! Czarna nadchodzi na ciebie godzina. Będziesz niedługo miał żal do matki swojej, że cię urodziła. Sam chciałeś wojny, zły i przewrotny wodzu!

Na wielkim zgromadzeniu narodów czerwonoskórych, które się odbyło we czwartek, ustalono plan wielkiej bitwy. Tomahawki wojny postanowiono odkopać w niedzielę, zaraz po mszy studenckiej, wszyscy bowiem Indianie byli bardzo pobożni, a najweselszym było to, że na niedzielę przypadała kolej służenia do mszy na Krwawego Byka. Będzie przynajmniej jako tako przygotowany na śmierć.

Było to w początkach lipca, kiedy pachną lipy i z daleka czuć najsłodszą woń – wakacji. Wakacje pachną najpiękniej na świecie. Dorośli ludzie dlatego są nieszczęśliwi i zgorzkniali, bo nie chodzą do szkoły i nie czekają na wakacje.

Dzień był cały ze złota, wykładany niebieską emalią. Natura lubi takie dzikie paradoksy: w górze spokój błękitny i uśmiechnięty Pan Bóg, strasznie w lipcu dobry, a na dole burza w sercach i ponure nasze miny, bez uśmiechu. Jesteśmy cisi i poważni, bo sprawa jest ciężka. Termometr naszej odwagi podskoczył o parę kresek, bo się do nas zgłosiło na ochotnika kilku wolontariuszów, a wśród nich jeden słynny awanturnik światowej sławy, bo już raz uciekł z domu na Wyspy Robinsona, ale go złapali na następnej stacji. Robinsonadę wybili mu z głowy drogą okrężną, przez plecy, została mu jednak nieśmiertelna sława, krzemień do krzesania ognia i długi sznur. Przedmioty te ofiarował naszej sprawie.

Niech się wreszcie stanie, co się ma stać!

Wojna! Wojna! Wojna!

Śmierć i zniszczenie!

Śmierć Krwawemu Bykowi!

Zaszumiały głośno osiki, zawsze się zresztą czegoś bojące. Z wrzaskiem, jakby się dławiła, porwała się z gałęzi sroka. Komary bzykały jak karabinowe kule.

Śpiesznie szliśmy tam, gdzie obozowaliśmy i gdzie wśród wojennego tańca mieliśmy odkopać topór wojny. Miejsce to znajdowało się pod najgrubszym drzewem, w którym mieszkała sowa, więc było ono tajemnicze i budziło zgrozę.

Co to jest?

Na drzewie wisiał wycięty pajac z papieru, a pod nim przymocowana była kartka z kajetu z napisem:

„Tak tu będzie wisiał z rozpaczy Rączy Jeleń, bo mu zabrałem tomahawk i orle pióra. Całuj psa w nos!"

Podpisano:

„Krwawy Byk, który się nikogo nie boi!"
Świat nam zawirował w oczach, bo większa obelga nie mogła spotkać wojownika. Zabrano nam święte symbole wojny. Spojrzeliśmy na Jelenia Rączego, Jeleń Rączy płakał. Biedny chłopiec tak bardzo był przybity, że się go nam uczyniło serdecznie żal; po okropnie brzydkiej jego twarzy, po niezliczonych piegach, z zezowatych, żalem przysłoniętych oczu leciały ciurkiem wielkie łzy. Całą radością głodnego jego życia było to, że się przez niesamowitość swojej twarzy dorobił godności wodza, a oto przyszedł zły chłopak, któremu on nigdy niczym nie zawinił, i podeptał jego cześć rycerską, wystawił go na hańbę, sponiewierał jasność jego duszy i słodycz jego serca, nadmiernie łagodnego.

Staliśmy jakby porażeni. Czuliśmy tylko jedno: wielki smutek, że Krwawy Byk nie jest wojownikiem rycerskim. Prawda, myśmy przeciwko niemu zawarli przymierze, ale to się równoważyło z jego siłą i bezczelnością; chcieliśmy go jednak zwyciężać w walce otwartej, w której nie wiadomo jeszcze kto zginie? Może on, ale może i my?

Zresztą nie tak znów bardzo byliśmy pewni naszych sprzymierzeńców, którzy walczyć mieli kupieni, jak najemne wojska, kondotierzy. Podstępne jednak zabranie nam broni i uroczystej odznaki wodza było czynem brzydkim, tak bardzo brzydkim, że się jego rdzawe ostrze zwróciło właśnie przeciwko niemu. Sprzymierzeńcy nasi w istocie nie byli pewni i mogli byli tylko „markować" bitwę, w tej chwili jednak, zrozumiawszy, że postępek Krwawego Byka był niegodny i ujrzawszy łzy lubionego biedaka, naszego wodza, zawrzeli wściekłością. Za włosy, na niedzielę pięknie czymś wysmarowane i gładko uczesane, chwycił ich demon wojny i zatargał nimi. Zapłonęły oczy i ręce drżeć poczęły. Niepewny sprzymierzeniec stał się zawziętym przyjacielem.

– Ty, Antek! – krzyknął syn policjanta. – Ja ci mówię, ty się nie martw! On tego ciężko pożałuje, miglanc jeden!

„Miglanc" znaczyło w owych czasach coś niezrozumiale obelżywego. Za takie słowo można było dostać ciężko po łbie.

– Ja nie płaczę, ale mnie wstyd...

– Co ci ma być wstyd? Ja ci powiem: ja już nic nie chcę za bęben, żadnych piór ani scyzoryków. Będę bębnił jak dla siebie, za darmo!

Armia osłupiała, po czym uczyniła wrzask tak radosny, że fala podniosła się na rzece.

Głupi Krwawy Byk! – Gdyby był wiedział, czego dokona swoją zdradą!

Zapał ogarniał szeregi, które nagle bez komendy zaczęły tańczyć taniec wojenny tak wspaniały, że wróble, nawołując się, zaczęły zlatywać się z najdalszych stron, aby to zobaczyć.

– Howgh! Howgh! Uff! Uff! – krzyczeli Indianie.

Jeśli krzyk ten dotarł do Krwawego Byka, musiało w nim zamrzeć serce i ściąć się w lód. On jednak go nie słyszał, bo upojony łatwym podstępem, ucztował ze swoim szczepem, „syn wodza" bowiem z godności, a syn cukiernika w stanie cywilnym, ściągnął ze sklepu swojego ojca prawdziwego i przyniósł „ojcu wodzowi" dwa słoiki truskawkowych konfitur. Cały szczep raczył się tym teraz i gnuśniał wśród słodyczy; największa wojna nie była w stanie przerwać im oblizywania palców.

O, głupi!

Nie wiedzieli, że jak chmura gradowa, tak ciągnie ku nim nieszczęście. Nie! Nie jak chmura, która gada grzmotem i dudni, raczej jak wąż, co w trawach pełza bez szelestu i bez śladu.

W jednej chwili załomotał piorun: to zagrał miejski bęben. Wściekł się, oszalał, dudnił, huczał, grzmiał, trzaskał; blady strach krzyknął w łęgach i ucichł, jakby głos jego zabito uderzeniem noża. Za to uderzył w niebo krzyk inny, huczny, radosny, zwycięski. To sprzymierzone szczepy, jakby z ziemi dokoła wyrosłe, grzmiały okrzykiem wojny, a jeszcze bardziej zdumionym krzykiem radości, że sprawa pójdzie tak łatwo: straszny Krwawy Byk, umazany krwią truskawek, miał w tej chwili minę śmiertelnie zdumionego cielęcia. Porwali się jego towarzysze do śmiertelnego boju, jemu zaś strach niezmierny odjął siły.

Za kilka chwil stał skrępowany sznurem słynnego Robinsona i przywiązany do pnia olchy; wojownicy jego, otoczeni, widząc położenie bez wyjścia – poddali się i przeszli na stronę zwycięskiego Jelenia Rączego. Zdaje się, że mieli nieco żalu do swego wodza za nierówny podział konfitur. Oto czego ten człowiek dokazał, walcząc podstępem z innymi i siejąc krzywdy wśród swoich!

Patrzył teraz ponuro, czekając na śmierć.

Ceremoniał indiański każe na nią czekać bez drgnienia, uśmiechem pogardy przyjmować drwiny wrogów i śpiewać, kiedy wróg zadaje męczarnie. Trzeba przyznać, że Krwawy Byk doskonale znosił nieszczęście; stał wyprostowany i choć był bardzo blady, jednak z politowaniem się uśmiechał.

Jednakże raz drgnął. Drgnął, kiedy się do niego zbliżył nasz poczciwy Rączy Jeleń, a kiedy mu spojrzał w oczy, Krwawy Byk opuścił powieki. Zawstydził się.

Trąciliśmy się łokciami, a syn policjanta uderzył triumfalnie w miejski bęben. To dobiło Krwawego Byka, wszystkiego się bowiem mógł spodziewać z naszej strony, tylko nie takiej parady i takiego wyekwipowania. Zadrżeć musiał w swej ponurej, krwawej duszy, bo olcha, do której był przywiązany, zadrżała.

Wojna była ukończona, jednak niezupełnie; pozostał wspaniały jeniec, z którym coś trzeba było uczynić, nie tylko dla manifestacji walnego zwycięstwa, tak piorunującego, że godne to było Cezara lub Napoleona, lecz i ze względów dyplomatycznych, gdyż obezwładniony w tej chwili Herkules mógł się z zemstą swoją przyczaić w czarnej duszy, później jednak, uwolniony z więzów, każdemu zwycięzcy z osobna może połamać kości. Przed takimi owocami zwycięstwa należało się zabezpieczyć, mądrze i przezornie.

Odeszliśmy w gąszcze, aby odbyć naradę. Indiańskim zwyczajem milczeliśmy wszyscy bardzo długo, aby mądrość miała czas napłynąć do naszych serc, po dłuższej zaś chwili zapaliliśmy fajkę pokoju, kalumet, co było najwspanialszym momentem uroczystości.

Pierwszy, który ją zapalił, zakrztusił się mocno i łzy goryczy pobiegły mu z oczu; drugi przeżył te same rozkosze, dziesiąty z lekka zawył, ale palił, bo palili wszyscy. Była to straszliwa, brudna, zakopcona, stara faja, zamiast tytuniu zaś paliło się uschłe liście olchy. Specjał to był okrutny, toteż i wodzom, i wojownikom przerażone oczy wychodziły na wierzch.

Wielka Rada, która omal nie skończyła się wzajemną bijatyką, potężni wodzowie bowiem i równie wspaniali wojownicy nie umieli dotrwać w kamiennym spokoju czerwonoskórych braci naszych z Ameryki, orzekła po długich rozważaniach, że jeśli Krwawy Byk złoży trzykrotną uroczystą przysięgę, że nigdy mścić się nie będzie, że nie poskarży się w szkole i że nigdy walczyć nie będzie podstępnie, będzie uwolniony z więzów i z bronią w ręku odejdzie do domu; aby jednak w jakiś sposób zaznaczyć, że jednak my zwyciężyliśmy, będzie mu zdjęty skalp z głowy, ale tylko na niby, on zaś w chwili zdejmowania mu fryzury z czaszki ma koniecznie zemdleć i krzyknąć: „Łaski, o czerwoni bracia!"

Warunki, jak widać jasno, nie były ciężkie, jakież więc było nasze przerażenie, kiedy usłyszawszy o nich, Krwawy Byk zaśmiał się głucho jakimś piekielnym śmiechem i prężąc więzy, zawołał:

– Wy psy parszywe! Tchórze i szakale! Każdy Ming i każdy Siuks jest dla mnie zdechłym psem. Wolę tu zginąć przy palu męczarni, niż was przeprosić! Mam serce bawołu i siłę byka, mego ojca! Precz mi z oczu, wy, serca jelenie! Howgh! Powiedziałem!

Uczyniła się śmiertelna cisza. Tak! Krwawy Byk jest strasznym wodzem, a serce jego nie zna trwogi! Potrafi umrzeć bez drgnienia. Zaimponował mi nadzwyczajnie, podszedłszy więc ostrożnie ku niemu, bo groźny był nawet w więzach, powiadam mu pięknie i nadobnie:

– Krwawy Byku! My chcemy wszystko załatwić pokojowo i nie chcemy, abyś poszedł już na łowy do Wielkiego Ducha Manitou. W twoim wigwamie oczekują cię twoje niewiasty, które głód pożera. Któż dla nich upoluje bawołu, jeśli ty zginiesz? Twój szczep pójdzie w rozsypkę albo zacznie pić z rozpaczy ognistą wodę. Namyśl się, Krwawy Byku!

On spojrzał na mnie dziwnie i powiada:

– Niech mój czerwony brat zbliży się do mnie tak, abym mu mógł coś szepnąć do ucha.

– Jestem, Krwawy Byku!

Pomyślałem, że robi tylko hece, bo tak potrzeba, a po cichu powie mi, że się poddaje. Zbliżyłem się więc z wielką ufnością i przyłożyłem ucho do jego ust. On nic nie powiedział, za to ja wrzasnąłem jak kot obdzierany ze skóry, gdyż Krwawy Byk ukąsił mnie w ucho.

Zgroza padła na wszystkich.

Łagodni zwycięzcy zdławili swoją wspaniałomyślność jak mizerne ptaszę; w sercach naszych zapiekła się krew, oczy nalały się wściekłością, dusze stały się z kamienia. Nie będzie zgody między nim a nami. Gdybyśmy nie wiedzieli tego z pewnością, że ojciec jego jest krawcem „męskim, damskim i dziecinnym", moglibyśmy mniemać słusznie, że ojciec ten jest Indianinem prawdziwym, straszliwym, takim, co miał totem z ludzkich zębów, a potem uciekł z cyrku.

Druga narada, już bez fajki, była burzliwsza, zewsząd było słychać okrzyki wściekłości, podjudzonej tym, że syn policjanta znowu uderzył w bęben.

To był głos śmierci.

– Ha! Ha! Ha! – zakrakał opodal straszliwym śmiechem Krwawy Byk.

Byliśmy przekonani, że nieco zwariował ze strachu.

Wyrok był do przewidzenia:

– Śmierć.

Śmierć! I to nie byle jaka, lecz wśród męczarni.

Wtedy się odezwał po raz pierwszy nasz poczciwy piegowaty wódz, Jeleń Rączy:

– Słuchajcie, dajcie spokój! Kto widział robić takie rzeczy? On jest głupi...

– Co? Co takiego? – krzyknęli wojownicy. – To mówi Jeleń Rączy?

– On ciebie najbardziej obraził, a ty go chcesz ocalić? Ładny wódz!

– Czujnego Bobra ukąsił w ucho, to też nic?

„Czujny Bóbr" to byłem ja!

– Co mówisz, Czujny Bobrze?

– Śmierć! – zawołałem chwytając się za ucho. Jeleń Rączy bliski był płaczu, widać było bowiem, że w Wielkiej Radzie stracił wpływy i powagę.

Wściekli są wojownicy.

Kiedy Krwawemu Bykowi oznajmiono, że zginie w męczarniach, uśmiechał się jadowicie, a potem splunął na odległość z taką mistrzowską wprawą, że jednemu z wybitnych i bardzo wsławionych wodzów opluł mundurek, co wywołało nowy krzyk zgrozy.

– Spalić go! Spalić go! – podniósł się wrzask.

Pomysł musiał być doskonały, gdyż go przyjęto z niesłychanym entuzjazmem. Kto żyw zajął się gorączkowym gromadzeniem suchych liści, zwiędłych traw i wyschłych na zapałkę, połamanych gałęzi. Około dwudziestu wojowników krzątało się tak żywo, że w kwadrans dokoła „śmiertelnego pala" Krwawego Byka wznosił się stos sięgający mu pod pachy. Wyglądało to tak śmiesznie, że z lubością patrzono na te przygotowania, zabawa bowiem zrobiła się pierwszej klasy. Tylko Jeleń Rączy stał z boku, jak zaczarowany, i nie przyniósł nawet patyczka. Gdyby nie jego słynne w całym świecie piegi i zezowate oczy, dawno już przestałby być wodzem. Mazgaj!

Krwawy Byk patrzył na te przygotowania z głupkowatym uśmiechem. Wewnątrz szalała w nim bezsilna wściekłość, ale nie dał tego poznać po sobie. Widoczne było, że się nie boi i uśmiechem daje nam znać o swojej nikczemnej pogardzie; gdyby tak jednak dobrze spojrzeć, można by dostrzec w szybko biegających promieniach jego oczu zaniepokojenie, czy nas przypadkiem jakiś szał nie opętał? Wiedziała – małpa! – że jesteśmy tchórze najgrubszego kalibru, nigdy jednak jeden młody idiota nie jest w stanie przewidzieć, co drugiemu strzeli do łba? Myśmy też nie przewidzieli.

Zmęczeni gorączkowym układaniem stosu, patrzyliśmy teraz wesoło i z niemałą rozkoszą na swoje dzieło; boki można zrywać, widząc wysokiego dryblasa, obłożonego leśnym śmieciem tak, że tylko z tej kopicy widać ramiona i zbrodniczą głowę. Dryblas, przekonany, że to już koniec zabawy, uspokoił się i zaczął szydzić:

– Czemuż nie podpalicie stosu, zdechłe żółwie? Tchórze cuchnący! Ludzie o podwójnym języku! Boicie się bohatera, który wam zdejmie skalpy, a dusze wasze będą się błąkać, bo ciało rzucę wściekłym psom na pożarcie! Szkoda strzały mojej i mojej cięciwy, więc dlatego plunę na was, złodzieje koni!

Choć się wyrażał bardzo stylowo, to „złodzieje koni!" – zapiekło nas. Najgorsze było to, że nikt mu nie umiał godnie odpowiedzieć, gdyż byliśmy bałwany wobec niego w znajomości – indiańskich przenośni.

A on się darł:

– Zbliżcie się do mnie, a wyrwę wam serca! Zające, silne tylko w pysku! (?) Na kolana przede mną, a ja wam swoje mokasyny położę na karku! Gdzie jest wasz parszywy wódz, Jeleń Rączy? Czy uciekł na dźwięk mego głosu i dlatego nazywacie go „rączym"?

– Staszek! – krzyknął ktoś z rozpaczą.

– Tu nie ma Staszka, tu jest Krwawy Byk! – zawołał okropny jeniec. – Uff! Uff! Krwawy Byk ma was wszystkich w pięcie!

Jak długo gadał indiańską modą, można było tego słuchać, ale odstąpił od uroczystego stylu, mówiąc, że „ma nas w pięcie". Obraza była tak współcześnie dotkliwa, że wszystkich poderwała; wszyscy rzucili się w jego stronę z błyszczącymi oczyma, wygrażając mu; koło stosu uczynił się tłok; wojownicy poszaleli.

Nagle...

Zaraz! Nie mogę, bo się jeszcze do tej chwili boję...

Nagle stało się coś okropnego. Ktoś – nigdy nie było wiadomo kto – pomiędzy nogami stłoczonych wojowników przytknął do suchego stosu zapaloną zapałkę. W jednej chwili buchnęło wszystko jak fajerwerk.

– Jezus, Maria! – krzyknął mały tłum i cofnął się przerażony.

Wszystkim odjęło władzę w rękach i nogach; Krwawy Byk naprawdę płonął. Zdawać się powinno, że ten nagły ogień nas porazi, lecz po upływie sekundy wszyscy rzucą się na ratunek. Nikt nie drgnął. Wszyscy stali jak zahipnotyzowani, patrząc na Krwawego Byka. Dym mu owinął twarz, lecz wiatr go odegnał; chłopak zbladł i wargi mu drżały; po chwili uśmiechnął się i krzyknął wielkim głosem:

– Wielki Duchu! Przybywam na łowy!

– Matko Boska, ratujcie go! – krzyknął jakiś głos.

Jeden wielki płacz buchnął wśród wojowników; płacz, wrzask, krzyk i rwetes. Kilku uciekło w przerażeniu dać znać do miasta czy wołać o ratunek, inni bezradnie, z obłąkaniem w oczach biegali w kółko jak opętani. Nikomu nie przyszło na myśl, aby czapkami nosić wodę, która szemrała w pobliżu. Ten i ów usiłował przyskoczyć do więźnia i odskakiwał z rozpaczą, nastraszywszy się dymu i marnych płomyków ognia.

Co to jest? Co to jest?

Rzuca się ktoś do płonącego stosu, odwraca twarz, aby się dymem nie krztusić, ktoś z furią rozrzuca stos nogami, a rękoma rozrywa nadgryzione już przez ogień sznurki. Ktoś chwyta słaniającego się Krwawego Byka w ramiona i wynosi go z siłą niezwykłą poza ognisko, które już żarliwym bucha płomieniem.

Krwawy Byk siedzi na ziemi, ogorzały, nadwątlony, w podartym mundurku: gębę ma okopconą, włosy potem strachu zlepione; wybałuszył oczy jak prawdziwy byk i ma minę cokolwiek zwariowaną. Wstrząsnął się, wraca powoli do zmysłów, po czym zaś zdumionym wzrokiem patrzy na swojego zbawcę. Zbawca dyszy ciężko z emocji i również się słania. Czarny dym zapełnił białe miejsca w niezmiernym archipelagu piegów, po raz pierwszy w życiu Jeleń Rączy jest przystojny.

Albowiem on ci to był, który ocalił Krwawego Byka. On, sponiewierany przez niego, on, mazgaj, poczciwiec, drogi chłopiec. Ma w tej chwili w oczach takie błyski dziwne, że zezowate jego oczy są piękne. Widać, że mu się chce płakać, ale nie! – uśmiecha się, uśmiecha się. To ze szczęścia, że ocalił tego dryblasa, który byłby się udusił.

Patrzymy na nich obu zdumieni i szczęśliwi. Serca nalały się słodyczą i każde chce wyskoczyć do tego mizeraka, jedynego wśród nas bohatera. Oczy nasze napełniają się łzami. Jest chwila taka miła, taka niezmiernie miła i słodka, że mi się chce płakać, bo mnie coś ciśnie za gardło, coś mi gniecie serce.

Jeleń Rączy wciąż się uśmiecha.

Krwawy Byk powstaje ciężko, dyszy ciężko, po czym się zbliża do Jelenia.

Coś się stanie! Coś się stanie!

Serca nawet ucichły. A Krwawy Byk wyciąga rękę i mówi głosem miękkim:

– Już byłem u wielkiego Manitou... Ogień pożerał już moje serce... Mój czerwony brat mnie ocalił... Gdy mój czerwony brat będzie kiedy potrzebował mojej pomocy, niech krzyknie głosem sępa... Przyjdę, choćbym miał sto mil do przebycia... Howgh! Uff! Powiedziałem!

Boże drogi! Jak on to cudownie powiedział. Już z niego był prawie nieboszczyk, a on jak gdyby nigdy nic: gada po indiańsku!

W oczach Antka, nazwanego Jeleniem Rączym, ukazały się wielkie, szczęśliwe łzy; ujrzał je straszliwy, nie dopieczony Krwawy Byk i oto dwa te wspaniałe zwierzaki: Jeleń i Byk rzucili się sobie w objęcia.

Wtedy ozwał się głos jak sto piorunów: to syn policjanta wybijał potężny werbel na bębnie na cześć bohaterów.

Któż jednak pojmie kiedy bohaterstwo? Tego dnia ojciec krawiec tak sprał syna swojego Krwawego Byka, że słychać było na całe miasto. Walił go rzemieniem w przypaloną u męczeńskiego stosu polędwicę, walił bez końca.

A Krwawy Byk – wojownik przewspaniały, wódz nieustraszony, połykał łzy i śmiał się bez słowa. Nie takie bowiem cierpiał męki!

Ojciec krawiec przestał bić, bo myślał, że syn jego pierworodny zwariował.

ROZDZIAŁ TRZECI

mój pierwszy wiersz

Godzi się to opowiedzieć, jak z miłego i porządnego chłopca za podszeptem szatana i wskutek tego, że go w chłopięctwie za wszystko bijali, rzadko zaś za to, co było zapowiedzią nieszczęścia – wyrasta człowiek zgubiony, zmarnowany i niepożyteczny, taki, jednym słowem, co pisze wiersze i książki. Opowiadam to ze zgrozą ku nauce innych, których najpierw czart kusi, a wydawca potem obdziera ze skóry. Opowiem tedy, jak i kiedy przywiedziony zostałem do zguby, nieszczęsny człowiek, którego teraz wytykają palcami z litościwym szeptem:
– Patrz, patrz! To ten, co tak pisze...
Za pierwszy wiersz uważam ten, od którego się liczy datę potrzebną do jubileuszu, to znaczy do tej uroczystości, kiedy człowieka odziewają w stary frak, gadają niemądre mowy i ofiarują jeszcze jeden pamiątkowy, ale za to tandetny kałamarz ze statuetką kolegi Homera. Zabawne jednak są terminatorskie lata szewca poezji, należy więc wielkie zdarzenie w poetyckim żywocie poprzedzić wstępem krótkim, lecz nudnym.
Pierwszy w życiu wiersz napisałem, mając lat równo jedenaście. W owym czasie ludzie nosili jeszcze włosy i ja też, ulegając temu nawykowi bez sensu, miałem czuprynę godną Buszmena. To widocznie przywiodło mnie do zbrodni. Byłem uczniem pierwszej klasy gimnazjum w słynnym mieście S..., dlatego słynnym, że była tam fabryka zapałek, która się paliła do fundamentów co pół roku; było to zajmujące i szczerą budziło we mnie radość. Innych powodów do sławy miasto to nie miało nigdy. To, że ja się tam urodziłem, nie poprawiło mu opinii.
ˮ tym to mieście i w jego gimnazjum nauczał miłości Boga srogi ksiądz, który w imieniu wszystkich potęg niebieskich walił w kark twarde głowy, co było przyjmowane z pokorą wobec nieba. Jednego dnia jednak, kiedy po pogodnej nocy lód na stawku był jak szkło i kiedy dusze rżały z radości, wspomniawszy łyżwy, srogi ksiądz pod karą piętnastu milionów lat piekła zakazał chodzić na ślizgawkę.
Ha! To było straszne...
Szukaliśmy w szkolnym katechizmie o tym wzmianki, czy Mojżesz przypadkiem nie zakazał swoim Żydkom ślizgawki. Nigdzie ani śladu, ani słowa o tym. Więc się nam stała niesprawiedliwość. Dusza moja, która

miała wtedy jeszcze włosy na młodym, zapalczywym łbie, zapłonęła jak zapałka. Uśmiechnąłem się jak szatan... Nie będzie ślizgawki? Dobrze! – ale będzie wiersz! Nie! Nie wiersz, lecz satyra, taka, jakiej jeszcze świat ani miasto S... nie widziały; satyra krwawa jak trzydziestoletnia wojna, jak rzeźnia miejska, satyra pełna żółci, octu, jadu, trucizn i klątwy.

Oblizałem pióro, umaczałem je w kałamarzu, a ponieważ nadziała się na nie mucha, samobójczyni, otarłem je o włosy i jak szpon wparłem je w kajet. Jęknęła sroga dusza srogiego księdza. Ja nic. Na twarzy śmiertelny spokój, śmierć i marmur, w sercu burza, w ustach język, wywalony na zewnątrz, gdyż to pomaga bardzo w tym wieku przy pisaniu.

Powstała w ten sposób jedna z najbardziej gorzkich satyr tego wieku. Ksiądz został sponiewierany.

Rymy były takie:

Na próżno jędza
w ubraniu księdza
z lodu nas spędza!
W pierwszej b klasie
w zimowym czasie
nikt mu nie da się!!!

Druga zwrotka była jeszcze potężniejsza, ale jej już nie pamiętam. Nazajutrz dwie klasy pierwsze, oddziały *a* i *b* – oszalały. Patrzono na mnie z podziwem, jak na bohatera. Osiemdziesięciu młodych idiotów powtarzało wspaniałe moje rymy z upojeniem i z zachwytem.

Ach! Ach! Jak krótką jest sława, jak marny los gotuje swojemu wybrańcowi! Znalazł się zdrajca, brzydki chłopiec, maminsynek, który ten cudowny poemat przepisał i zaniósł podczas przerwy do księdza. Ksiądz nie poznał się na wzniosłości poematu: wziął mnie na kolano i trzecią strofę wypisał mi rytmicznie tam, gdzie nikt nigdy nie zagląda, aby czytać wiersze. Obok stała Muza i płakała. Ja zaciąłem usta, choć ksiądz był mocny. Rozmyślałem potem, że nie powinni pozwolić, aby ksiądz był tak mocny w ręku.

Ha! Ha! Ksiądz pobił mnie, ale nadaremne były jego wysiłki; nie zabił mojej sławy. Chodziłem w niej jak w słońcu. Ba, nauczyciel matematyki uśmiechał się do mnie, choć byłem straszliwy w tej dziedzinie bałwan, ale matematyk i ksiądz – nigdy nie są w komitywie. Łajdak, który wiersz zaniósł do księdza, skończył marnie; jak rok długi nikt mu nie podpowiedział słowa, nikt mu nie dał odpisać pisemnego zadania, bez czego nawet geniusz nie może przejść do wyższej klasy. Mnie podpowiadali wszyscy, wszyscy dawali do odpisywania zadania rachunkowe męczennikowi.

Kiedy miałem lat dwanaście, napisałem wierszy bardzo wiele; uwielbiałem tematy historyczne, którym dawałem wspaniałe, dostojne olbrzymie tytuły – po łacinie. Wiersz *Vindobona* (o, młody idioto!) był haniebnym zdemaskowaniem cesarza Leopolda, którego Sobieski wziął na kawał z udanym ukłonem.

...Cesarz się bardzo po niemiecku dąsa,
Że Sobieski nie do czapki, lecz sięgnął do wąsa.
Więc na przyszłość, cesarzu, popamiętaj o tem,
Że najpierw się masz kłaniać, a król polski potem!

Czy to nie piękne wiersze? Cesarz w grobie zakrył rękoma twarz. Wstydził się.

A wiersze miały powodzenie niesłychane. Pisane były pismem kaligraficznym i zawsze – zawsze! mówię – czerwonym atramentem.

Wielkim i o wielkiej sławie poetą stałem się w trzeciej klasie gimnazjum IV we Lwowie. Miałem trzynaście lat i byłem straszliwie „bity" jako znawca literatury, w klasie trzeciej bez konkurencji. W matematyce zawsze bęcwał.

Sławę moją na niwie gimnazjum ugruntowało niebywałe zdarzenie. Kolega mój jeden – wielki dandys, gdyż do mundurka miał zawsze białe rękawiczki – zakochał się. Oblubienica miała lat czternaście, była trochę zezowata i miała piegi. Podobno oświadczyła, że „wyjdzie" tylko za „poetę". Młodzieniec groził samobójstwem i z ponurą miną pokazywał nam scyzoryk, który wciąż ostrzył o szkolną ławę i który w najbliższy czwartek (?) miał sobie zatopić w sercu. Już to miejsce, w które miał ugodzić, zaznaczył czerwonym ołówkiem na skórze. Napawało nas to niepokojem i zgryzotą. O cóż szło? O wiersz? Więc niech kto napisze wiersz, a on powie, że to jego. W szkole się przecież zawsze odpisuje.

Ale nie tak zrobiono. Zakochany kolega ogłosił – konkurs. Najbardziej prawidłowy konkurs poetycki. Nagrody były niesłychane: zwycięzca miał dostawać na koszt fundatora konkursu przez dni dziesięć parę kiełbasek z bułką podczas wielkiej pauzy, ten ci bowiem niebiański przysmak sprzedawano w gimnazjum.

Obejrzałem się niespokojnie po klasie. Dwóch jeszcze oprócz mnie pisało wiersze, poza tym w klasie czwartej był jeden poeta, bardzo mocny. Leopold Staff i Józef Ruffer byli w innym gimnazjum, były to zresztą wielkie potęgi już coś z ósmej klasy, tak że do smarkaczów dochodziły tylko głuche o ich istnieniu wieści.

Wzięto miarę na poemat; zakochany idiota pokazał nam z daleka na ulicy swój ideał, zezowaty i z piegami.

– Jak jej jest na imię? – zapytałem krótko.

– Jadwiga!

– Dobrze jest! – rzekłem.

Napisałem poemat o Jadwidze, tak cudownej piękności, tak rzewny i pełen miłości tak wielkiej, iż jej zezowate oczy zaszły łzami. W poemacie tym naprostowałem jej oczy, oczyściłem twarz, dodałem jej włosów. Konkurenci odpadli, jak gruszki z drzewa, i odeszli we wstydzie. Wiersz mój, w zamkniętej wprawdzie kopercie, lecz osobiście wręczony „sądowi konkursowemu", który zagroził pobiciem każdemu uczestnikowi turnieju, gdyby się nie zgodził na jego wyrok – dostał pierwszą nagrodę. Musiał dostać! Rozdrapałem sobie serce i dwa rymy ukradłem Słowackiemu, ale uczciwie dopisałem z gwiazdką „Ze Słowackiego", co tylko wzbudziło podziw i nadało wierszowi poloru.

Tryumf mój byf niesłychany. Poeta z czwartej klasy złożył mi powinszowanie i mówił do mnie „kolego". Był to mocny – jak rzekłem – poeta. Jest teraz ginekologiem.

W klasie czwartej byłem już poetą całą gębą, rzec można – od ucha do ucha. (W matematyce wciąż jeszcze bałwan!) Dzień w dzień byłem w teatrze i umiałem na pamięć, co kto chciał. Zamyśliłem napisanie wielkiego poematu – „filozoficznego". Ale to wszystko nic! Tego roku, kiedy miałem lat czternaście, zostałem po raz pierwszy w życiu wydrukowany.

Wydrukowany! Czy rozumiecie to słowo, początek obłędu?

Tego to roku po raz pierwszy w życiu ujrzałem Henryka Sienkiewicza, kiedy zjechał do Lwowa. Lwów bowiem, miasto jak brylant wprawione w *Trylogię*, miłował go bardzo swoją miłością gorącą i impulsywną, a pogłaskane w swojej hardej mieszczańskiej dumie przez opis gotowania się do obrony, chciało to miasto, ten lew wśród polskich miast, uczcić go tak jak żadne.

Kraków umie czcić umarłych, Lwów tylko żywych; czyni to takim gestem Wierzynka, nie trwożącego się królów, z taką serdecznością rycerską i piękną, że tylko serca tego miasta zażądać, a odda swoje serce. Tak czyni zawsze, cóż dopiero, kiedy chce uczcić Sienkiewicza albo potem Konopnicką.

Przyjęcie Sienkiewicza we Lwowie było urządzone w stylu – sienkiewiczowskim. Nie mógł godniej i wspanialej przyjąć Jana Kazimierza ks. Lubomirski w Lubowli, niż Sienkiwicza przyjął Lwów, lwowskie mieszczaństwo, kolorowe, przy karabelach chodzące, trzęsieniami u kołpaków błyszczące, spinające kontusze guzami wielkich korali lub turkusów. Gdzie był wówczas jaki kontusz w tym arcymieście, wtedy wystąpił do parady razem z niesłychanym bogactwem delij i sobolów arystokracji galicyjskiej. Ale szewc lwowski czy książę Lubomirski, czy Potocki hrabia –

byli sobie wtedy równi: miną, gestem i karabelą, a przede wszystkim zupełnie zachłanną miłością do tego, który prostą, uczciwą, a tak cudownie bohaterską duszę tego miasta z kronik wyczytał i na nowo opromienił błyskami armatniego ognia pana generała Arciszewskiego i słowy swoimi, grzmiącymi jak spiżowa surma Gradywa.

Dzień ten pamiętam jako wielką, bajeczną wizję, która mi się na sercu odbija. Byłem sztubakiem, tego dnia jednakże jednym z tysiącznych aktorów wielkiego, wspaniałego widowiska, którego bohaterem był Sienkiewicz.

Lwów jest zawsze rojnym ulem, w którym coś się dzieje, bo gorący temperament tego miasta jest zawsze w stanie wrzenia. Cóż się dopiero działo, kiedy miał w gród ten wjechać imć pan Sienkiewicz, hetman bez buławy, wojownik wielki, choć bez miecza! Oszalała na poły dusza Lwowa. Jeśli tak rzec można: miasto dostało gorączki i wypieków. Ale też urządziło przyjęcie – miły Boże! Kwiaty, dywany, festony, bramy tryumfalne – to nic. To każdy urządzić potrafi. Ale żeby do białości rozpalić duszę miasta, to tylko Lwów potrafi. Życie całe stanęło, właściwie zaś wyszło na ulicę, w domu zostali chyba tylko ciężko chorzy. Sienkiewicz miał przyjechać o ósmej wieczorem – od trzeciej zaś wzdłuż ulic stał tłum, głowa przy głowie. A u brzegu, tworząc szpalery nieskończonej długości, stały najdumniejsze w tej chwili istoty na świecie – my, sztubaki w mundurkach, zdenerwowani, przejęci, a dostojni i marsowi, w trosce wielkiej, aby był porządek, aby nas tłum nie załamał i nie zepsuł linii. Mądrzy ludzie nas tam postawili; niech ujrzy tych, co temu miastu w sercach chłopięcych przysięgli miłość dozgonną.

O godzinie ósmej padł na miasto głęboki mrok. Tłum szemrał jak spokojne morze. Nagle się zakołysał, bo tam w oddali coś się stało. Dreszcz stu tysięcy ludzi zdobył się wreszcie na jedno słowo: „Przyjechał!" Wtedy się stało coś dziwnie pięknego: tysiąc czy dwa tysiące młodzieży zapaliło pochodnie smolne, krwawe, błyskotliwe, migające i syczące: dodawszy do tego ten blask, który bił z młodych rozognionych oczu, można sobie wyobrazić, jak się stało jasno na wielkiej ulicy, wiodącej od dworca kolei. Efekt był jak z bajki, niewidziany. Ale nawet w bajce chór największy olbrzymów nie wydaje takiego grzmotu z gardzieli, jak ten grzmot okrzyków, który wystrzelił piorunem z chmury tłumu, krwawo oświetlonej pochodniami. Głos ten potężny, urodzony gdzieś w oddali, zaczął się toczyć jak lawina i grzmiał coraz wspanialszy. Gwiazdy poczęły drżeć, przerażone. A to Lwów krzyczał: „Niech żyje!"

W ten szał burzy, w ten krzyk radości, w to huczne morze wjechał Sienkiewicz. Siedział w powozie z jakimiś pięknymi Polakami w kontuszach; dwa siwe araby w zaprzęgu wyrzucały dumnie głowami i tańczyły pięknie, jakby wiedząc, kogo wiozą. Sienkiewicz się uśmiechał jakoś dziwnie, rzewnie i tak, jakby się tym uśmiechem ratował od łez. Kłonił wciąż głowę i ręką posyłał pozdrowienia. Kiedy nas mijał powoli, płuca dobyły z siebie ostatka sił. Nikt nikomu za żadną cenę nie chciał się dać przekrzyczeć, bo jakżeż inaczej mógł lichy sztubak okazać mu swoją miłość, większą niż miłość Bohuna do Heleny.

Tłum się chwiał, wył, szalał, wołał, klaskał, huczał i grzmiał; matki podnosiły dzieci na ręce, starcy patrzyli z zachwytem. Dusza Lwowa była szczęśliwa, pyszna, dumna i wniebowzięta.

Miasto huczało tak do późnej nocy; tłumy ludzi, które niedawno machnęły ręką na szacha perskiego, oczekiwanego tylko przez wyrostków przed hotelem, nie ustępowały sprzed okien Sienkiewicza.

Wspaniałe się potem odbyły uroczystości, o których nic już nie wiem, gdyż nie potrzeba było przy nich trzymać pochodni; w żakowskiej duszy został na zawsze tylko ten obraz: morze światła, siwe, pyszne araby i uśmiech Henryka Sienkiewicza.

Oczarowany tym uśmiechem, napisałem wiersz na cześć Sienkiewicza i oto ten wiersz (oj!) został przyjęty i wydrukowany na pierwszej stronie pisma „Polonia", wydawanego dla młodzieży szkolnej. Mam ten wiersz do dziś w oczach, szczególnie podpis, który błyska, jakby był wybity diamentami:

„Kornel Makuszyński, uczeń IV klasy gimnazjalnej".

Wiersza już nie pamiętam. Były w nim i „łany", i „kurhany", i „hetmany", i „blizna", i „Ojczyzna". Głupi wiersz, z całą pewnością głupi, ale napisany całym sercem, z patosem, ze wzruszeniem, z czym kto chce. Ja byłem zadowolony.

A w matematyce byłem wciąż przeraźliwy bałwan. Matematyki nauczał pewien starej daty ksiądz, przezacna dusza, udający z pasją okropnego tyrana. Nie było sposobu, aby mnie nauczyć wyciągania pierwiastków i innych matematycznych mądrości. Toteż poczciwy ten ksiądz patrzył na moją tępość matematyczną przez palce. Czynił mi życie ciężkim aż do zdania matury, wygadywał niestworzone rzeczy, ale machnął na mnie ręką. Ocalała mnie zawsze poezja.

„Pomnik ci postawią, a ja ci dam pałę!" – groził zacny ksiądz.

Nikt się wprawdzie z pomnikiem nie kwapił, ale należy mi się on za ten strach, który mnie dręczył zawsze na lekcji matematyki.

Dotąd jednak to wszystko drobiazgi i grzechy dzieciństwa. Wśród nich minął mój rok piętnasty żywota, cielęcy żywot. Kiedy jednak dusza nieco przejrzała, kiedy zaczęły oczy patrzeć szerzej, wiersze się stawały jakieś inne; kulawe – cudem odzyskiwały prostość członków, głupie – mądrzały, nieforemne – stawały się foremne. Nędza była, aż skwierczało, a już nie było takich, co rozpisywali konkursy z dziesięcioma parami kiełbasek. Minął wiek złoty.

Wiersze jednak pisało się zawsze. Miałem wonczas profesora literatury, który musiał przenikliwie spojrzeć w młodą duszę, choć nie umiała matematyki. Daj Boże każdemu młodemu człowiekowi, co potem ma pójść w literaturę, takiego profesora. Na każdej mojej książce chciałbym – gdyby wypadało – jemu napisać dedykację, prof. Wojciechowi Grzegorzewiczowi. Jeśli go te słowa dojdą, niech się do niego uśmiechną. Ten człowiek mi pokazał światłość literatury, wybijał w młodej duszy okno, aby dojrzało piękno. On mnie wypraszał u profesora matematyki i u Greka, i u historyka, i u innych. Kiedy mnie na lekcji religii przyłapali z Szekspirem pod szkolną ławą, on staczał srogie boje, aby mnie nie „wylali". Zacny człowiek.

Kiedy miałem lat szesnaście – stało się coś, co uradowało najpierw jego, potem dopiero mnie. Tego to roku zostałem wydrukowany po raz drugi, ale już „naprawdę". Muszę się pochwalić szczegółowo.

Wychodził wtedy we Lwowie wielki dziennik „Słowo Polskie" pod redakcją Zygmunta Wasilewskiego. Każdej niedzieli dawało „Słowo" dodatek literacki na wysoką miarę pod tytułem „Tygodnik Literacki", w którym na naczelnym miejscu drukowano pierwszorzędne wiersze. Redaktorem tego dodatku był tylko... Jan Kasprowicz.

Ludzie, zastanówcie się! Jan Kasprowicz! Cóż robię ja – młody żak? Wybieram ze stu dwa sonety i z listem, który miał minę ponad stan, posyłam je Kasprowiczowi z tą samą nadzieją ujrzenia ich w druku, co ujrzenia ludzi na Marsie. Mija jeden tydzień – nic... Jest wiersz Staffa – śliczny! Mija drugi tydzień. Jest wiersz Maryli Wolskiej – przepiękny.

Jak mogło być inaczej? Moje sonety wiją się w mękach na dnie kosza, ciśnięte ze wzgardą przez Kasprowicza.

A jednak było inaczej.

Przechodząc w niedzielę obok redakcji „Słowa Polskiego" – zatoczyłem się jak pijany. U wejścia do redakcji wywieszono numer gazety. Boże jedyny! Na pierwszym miejscu w dodatku literackim jaśnieje, błyszczy się, promienieje, krzyczy, wrzeszczy na cały świat mój wiersz, moje dwa sonety. Jan Kasprowicz uznał je za godne druku. Jan Kasprowicz kazał je wydrukować.

Świat się ze mną zakręcił. Chciałem krzyczeć i śpiewać z radości, chciałem ściskać każdego przechodnia, każdemu powiedzieć: „Panie! To moje wiersze!"

Chwilę tę pamiętać będę zawsze i zawsze ją sobie na pamięć przywodzę i to słodkie wspomnienie wydobywam z serca, ile razy dziś do mojego gabinetu w redakcji, szurgając mocno nogami, wchodzi półżywy ze strachu i z emocji młody chłopak, rumieniący się jak panna, i podaje mi zwitek papieru – wiersze. Śmiało, śmiało, młody, kochany chłopcze! Ja znam to wzruszenie, ja ci powiem sumiennie, czy co siedzi w twych wierszach... Proszę sobie teraz wyobrazić, co się nazajutrz działo w gimnazjum. W ulu nie ma nigdy takiego poruszenia. Smarkacze obchodziły mnie z daleka, z niemym podziwem w błyszczących oczach. Stałem się dumą całego gimnazjum.

Wisiała jednak nade mną chmura. Austriackie przepisy szkolne groziły srogą karą za druk bez pozwolenia dyrekcji. Nigdy jednak nie było o tym mowy, bo nikt nie drukował ze sztubaków.

Za chwilę wołają mnie do dyrektora. Au! Siwy człowiek patrzy na mnie długo, a pode mną trzęsą się nogi. Patrzę nieśmiało w chmurę jego oblicza... Co to jest? Ten człowiek się do mnie uśmiecha... Pogładził mnie po głowie i powiada:

– Niech ci Bóg dopomaga, drogi chłopcze, ale pamiętaj, że nie wolno! Już nie będziesz?

– Będę, panie dyrektorze!

– No, to dobrze!

Tak uczciwy Polak ukarał młodego wierszokletę.

Po tej audiencji zrobiliśmy sobie z moim profesorem literatury porozumiewcze „oko", jak dwaj wspólnicy literackiej zbrodni.

Najprzyjemniejsza zabawa zaczęła się jednakże dopiero później. Piszę ja do Kasprowicza list, którego każde słowo było promieniem słońca, i nieśmiało zapytuję w przypisku, czy mi gazeta czasem cokolwiek jeszcze wydrukuje?

Nazajutrz czytam w rubryce „Odpowiedzi redakcji":

„Najchętniej. Proszę się zgłosić po odbiór honorarium".

„Honorarium"? Co to jest? Boże drogi! To jakieś dziwne ludzie w tej gazecie: robią smarkaczowi niebotyczną przyjemność i chcą jeszcze za to płacić.

Robię tedy naradę z kolegami.

– Musisz iść! – powiadają.

– Boję się! – mówię ja.

– Nie bój się, wariat! Kasprowicz to podobno byczy chłop! – powiadają oni.

Wobec takiej informacji rozpoczynam przygotowania. Dziurę w bucie zaszyłem białą nitką i posmarowałem atramentem. Mydłem i szczotką wyczyściłem mundurek, który mógł służyć za lustro u fryzjera w małym mieście. Na kołnierzu dwa złote paski (szósta klasa!), cokolwiek wyrudziałe, jednak dodają splendoru. Plunąłem na dłoń i misternie przygładziłem czuprynę. Poszedłem z wizytą do Jana Kasprowicza. Odprowadziło mnie szesnastu zaufanych kolegów i czekało niecierpliwie na ulicy.

Moje biedne, głupie serce tłukło się w piersi jak oszalałe. Byłem blady jak skruszały nieboszczyk.

Ze strachem pytam cerbera:

– Pan Kasprowicz jest?

– A jak jest, to co?

– Chciałem się zobaczyć...

– A kawaler z listem?

– Nie! – mówię grzecznie – Ale pan Kasprowicz kazał mi przyjść.

– To wal pan w te drzwi.

Pukam we drzwi cicho palcem, a głośno sercem. Wchodzę. Pokój wiruje razem ze mną. Widzę straszliwy oseledec* na cudownej głowie wielkiego poety; broda zacna; potężne guzy na czole; kark byka, spojrzenie dziecka, uśmiech na ustach.

– Czego tam?

– Pan kazał mi tu przyjść...

– Ja? Panu? Po co?

– Po pieniądze...

Nie wyglądałem na brodatego Żyda, prześladowcę, więc Kasprowicz spojrzał na mnie wesoło, jak na obiecującego wariata, który piękną w tym kierunku mieć będzie karierę.

– Kto pana przysyła?

– Nikt... to ja sam... proszę pana...

Ziemia drży pode mną. Uciec, uciec, za wszelką cenę uciec!

– Słodki panie – mówi Kasprowicz, używając ulubionego swego wyrażenia – nie zawracaj pan głowy. Jak się pan nazywa?

– Kornel Makuszyński...

– Jak?!

Powtarzam z cichym jękiem.

– To pan napisał te dwa sonety? Niemożliwe.

– To ja, proszę pana.

Kasprowicz powstał, obszedł mnie dookoła, obejrzał i uśmiechnął się.

---

* oseledec – kosmyk włosów na czubku łysej lub ogolonej głowy; charakterystyczna fryzura dawnych Kozaków zaporoskich.

I ja się uśmiechnąłem. Lew poezji jest – widać – dobry jak dziecko. Pogadał ze mną, wypytywał, pochwalił, zachęcił. Podał mi rękę i serdecznym głosem pożegnał. Miałem łzy w oczach. W administracji wypłacili mi za dwa sonety dwie korony, halerzy osiemdziesiąt. Byłem bogaty!

Ha! Wiele miłych rzeczy opowiadaliśmy sobie z Kasprowiczem, lecz ile spotkaliśmy się razy, przypominaliśmy sobie nieodmiennie tę chwilę, kiedy olbrzym wziął karzełka w potężną swą dłoń i cisnął go w literaturę. Ja tej chwili, genialny, umarły przyjacielu mój, nie zapomnę – nigdy, nigdy...

Niedługo potem drukowałem wiele wierszy w doskonałym piśmie młodzieży akademickiej „Teka", gdzie Staff drukował swój arcywiersz, genialny wiersz pt. *Kowal*. Wspaniałą redakcję „Teki", redakcję, która się mieściła w jednym pokoiku, gdzie spało czasem pięciu przybyszów za fałszywym paszportem z Warszawy, a spało na starych gazetach, tworzyli: Stanisław Stroński, Edward Dubanowicz, Przemysław Mączewski, Stanisław Zabielski, Bolesław Bator, Antoni Sadzewicz, Kazimierz Jarecki i jeszcze siedemdziesięciu kilku młodych zapaleńców. Mówili mi „kolego" i nic nie płacili. Za sonet można się było napić herbaty; łyżeczkę zastępowała obsadka pióra.

Chodziłem „w sławie, jak w słońcu". Gębę upozowałem w śmiertelną powagę. Trzy panienki z pensjonatu, dokąd niezmierna sława moja dotarła, kochały się we mnie. Biedne, bo kochały się beznadziejnie... Głowę miałem zaprzątniętą czym innym, nie marnymi romansami. Na czole miałem chmurę, w duszy boskie szaleństwo. Toteż dostojnie i wspaniale brzmiał dialog podczas przerwy w gimnazjum. Dziś słynny uczony, wówczas kolega mój z szóstej klasy, Juliusz Kleiner, zawsze i wtedy niezmiernie poważny, zapytał mnie:

– Nad czym kolega teraz pracuje?
– Piszę poemat filozoficzny pod tytułem *Dusze*.
– Strofy?
– Tak, oktawy. To forma, którą najbardziej lubię...
Gdzie jesteś, młodości, młodości!
„W tym miejscu łza miast kropki padła..."

ROZDZIAŁ CZWARTY

dusze na paradyzie

Napisawszy ku ludzkiej radości i ku własnemu rozrzewnieniu o tych zachwycających latach cielęcych, kiedy to wydrukowałem mój pierwszy wiersz, myślę, że więcej jeszcze rozkosznej zażyje serce zabawy przypominaniem owych dni szczęśliwych, kiedy na niebie było tylko słońce lub gwiazdy, na ziemi tylko uśmiechnięte kwiaty, w butach dziury, a w młodych uszach zapalczywość niezmierna, wszelkiej poetyczności i pięknego złudzenia łakoma. Ciężko mnie potem Pan Bóg pokarał, bo przez nabrzmiałość owych zamiłowań zostałem krytykiem teatralnym w wiele lat potem.

Oto opowiem, rzewnym i prostym słowem malując wspomnienia, jak to młode dusze wędrowały do zaczarowanych krajów, w „rajską dziedzinę ułudy", czyli – nie mówiąc tak nadobnie – jak zostały tknięte ciężkim wariactwem w stosunku do teatru.

Rzecz się dzieje w dawnej Galicji, gdzie dorastało młode cielę, brykające po łące życia, to jest – ja.

Był tam zwyczaj w gimnazjach, że zawsze w listopadzie urządzano „wieczory mickiewiczowskie". Takie wieczory były pierwszym teatrem, z którym się zapoznawała gromada miłych bałwanów i matołów z rozwichrzoną czupryną. Urządzała ten okropny teatr klasa najwyższa, ósma, wielkie hrabie, pyszałki nadęte, ojoj! z czterema złotymi paskami na kołnierzu. Za ich to zbrodnie cierpiał co roku chronicznie nieszczęsny Mickiewicz.

Taki wieczór spod najciemniejszej gwiazdy był świętem gimnazjalnym. Spędzano nas do auli, wciskano szlachetnych sztubaków w jakiś kąt, bo pierwsze miejsca zajmowało „ciało" nauczycielskie i rodzice papinków ośmioklasistów (hańba!) i najpierw długo kazano czekać, wiadomo bowiem, że amatorskie przedstawienia odbywają się zawsze o trzy godziny później, niż zapowiedziano. A to płachta kurtyny źle funkcjonuje, a to aktorowie jeszcze niegotowi, a to, a owo.

Nareszcie jednak się zaczyna.

Profesor literatury wyłazi na skrzypiącą estradę i coś bardzo długo gada. Sztubaki akompaniują pociąganiem czegoś tam w nosie, kaszleniem i dziwnymi odgłosami. Wszystko się jednak kończy na tym świecie, gor-

sze jednak jest to, że się zaraz zaczyna drugie. Za czym wychodzi na estradę drugi dryblas z ósmej klasy i gra na skrzypcach *Legendę* Wieniawskiego*. Wieniawski w grobie zrywa się na równe nogi i w krzyk. A ten gra...
Wieniawski mdleje, a ten wciąż gra! Jak gdybyś kiszki wyciągał z kota i jeździł po nich smyczkiem, a kot przeraźliwie miauczał. Jak gdybyś słyszał, jak diabli łuszczą skórę z biednego grzesznika, a ten się drze biedaczysko. Nie! To za mało powiedziane; to zbyt łagodnie maluje tę rzecz okropną. Ale to wszystko na cześć Mickiewicza, więc te jęki i wrzaski, i rozpaczliwe rzężenia, te piski i miauczenia, to zgrzytanie zębów, piły albo kości nieboszczyka – „powtarzają dęby dębom, bukom buki".
Brawo! Brawo! Brawo!
Ale to klaszczą ci, co się nie znają na muzyce. W naszym kącie, u sztubaków – postępuje się uczciwiej.
– Tadek, słyszysz?
– Umarły też by usłyszał... No i co?
– Pluń mu na skrzypce!
– Za daleko, nie doniesie...
– To wisz, co?
– Nie wim...
– Żeby mu tak w piersiach grało!
Czyż można treściwiej wyrazić sąd trzeźwy i sprawiedliwy? Nie można.
Tak, tak, ale to dopiero początek. Za chwilę to się zacznie dopiero naprawdę, dotąd to wszystko to przystawki do zaostrzenia apetytu. Gorąco w sali jest takie, że muchy mdleją. Na łysej czaszce Greka ukazuje się perlista rosa, profesor matematyki wygląda tak znudzony, jak odstały nieboszczyk, i wykręca gębę w logarytm.
Słychać dzwonek: nowa sensacja. Wyłazi nowa cholera, strasznie elegancki, w białych rękawiczkach i deklamuje koncert Wojskiego. Wyje ci bestia, rękami macha, z nogi na nogę przestępuje, siecze wiersz jak mięso na kotlet, połyka słowa, dławi się nimi, robi się czerwony, potem fioletowy. Boże drogi! Udusi się... Oj, może się udusi... Gdzież tam! Przełknął i wali dalej. Skończył, a echo wali po auli, wybiega na kurytarze i ginie w mękach.
Znowu wielkie brawo, które nas doprowadza do szewskiej pasji, bo u nas w drugiej klasie jest taki niezrównany deklamator, który jest sta-

---

* Henryk Wieniawski (1835-1880) – wybitny skrzypek i kompozytor; ku jego pamięci od 1935 r. organizowane są konkursy skrzypcowe.

nowczo najlepszym deklamatorem na świecie, mistrz nad mistrze, co udaje trąbę, psa, ryk niedźwiedzia, szum wody, kota, świnię i wronę. Taką deklamację raz usłyszeć i umrzeć, bo żyć już nie ma po co! Już wszystko usłyszałeś, co można było usłyszeć na świecie.

Gdy nam raz zadeklamował cudowny wiersz o tym, jak giermek, skuty razem z hetmanem, odcina sobie nogę, aby hetman ukochany mógł ujść z niewoli, tośmy się ze dwie godziny kulali ze śmiechu, tak to było wesoło wypowiedziane, ze znawstwem i z naśladowaniem głosów. A ten z ósmej klasy to może naszemu koledze buty czyścić. Toteż nasz deklamator, Zbyszek (jego matka ma jadłodajnię, a ojciec robi trumny – biedni ludzie pomagają sobie w pracy), uśmiecha się z wyraźnym lekceważeniem.

Trącam go łokciem:

– Zbyszek! Ty byś to powiedział, Panie Boże wszechmogący!... Oj!

– Ma się wi! Poczekajmy do ósmej klasy. Zrobi się...

– Przecież jak on mówi, że słychać granie psiarni, to powinien szczekać – nie?

– Bez tego nie ma żadnej deklamacji – powiada fachowiec.

Tu już z premedytacją pogardliwie słuchamy, jak inny ośmioklasista, z natury rzeczy nasz wróg zawzięty, stale nas mający w pięcie, odwrzaskuje *Wielką Improwizację*, bo bez tego, jak świat światem, nie było „wieczorku mickiewiczowskiego".

Mickiewicz płakał w niebie i tłukł dostojną głową o twardą gwiazdę.

Teraz jednak będzie „coś wesołego", coś, co także każdego roku „odgrywają" podczas takiej spoconej uroczystości: uscenizowana Księga Siódma *Pana Tadeusza – Rada*.

Cała klasa ósma bierze w tym udział. Księdza Robaka gra Żyd, bo się uparł, on zresztą pożyczył dwie kapy z rodzicielskich łóżek na kurtynę, więc miał przy obsadzaniu ról decydujący głos. Przedstawienie jest mizerne, małpy nie nauczyły się ról, kolega Zbyszek, który wszystko umie na pamięć, wije się z boleści, co nas napełnia ponurą złością.

Takich „wieczorków" odbyłem w życiu osiem, to znaczy osiem razy słuchałem wykładu o Mickiewiczu, *Legendy* Wieniawskiego, koncertu Wojskiego, *Improwizacji* i *Rady*. Kolegi Zbyszka nie słyszałem deklamującego koncert Wojskiego, bo się tak zadeklamował, że w trzeciej klasie „trwał" trzy lata, po czym go wylali niesłusznie, bo nikt tak nie umiał naśladować wrony, jak ten genialny człowiek.

My zaś poszliśmy dalej.

Już w klasie drugiej – same sztubaki – zagraliśmy *Zemstę*. Słowo honoru daję na to! Za satyrę na księdza, słynny mój wiersz, który napisałem krwią i rymami, wylali mnie z gimnazjum, stałem się więc ozdobą gimnazjum w P., gdzie w najmilszym domu rodziców jednego z moich kolegów, głośnego dziś uczonego i profesora uniwersytetu lwowskiego, zagraliśmy *Zemstę*. Bogowie zapewne do dziś wspominają z rozrzewnieniem to boskie przedstawienie najlepszego w owym czasie zespołu teatralnego w tym mieście. Rozleciał się on z tego prostego powodu, żeśmy się wszyscy kochali w trzynastoletniej artystce, która grała Klarę, a ona (kobieta!) zdaje się, że wszystkim nam zawracała w głowie, co doprowadziło do małych niesnasek i wymiany zdań, po których zawsze wyborny odtwórca Wacława miał w garści kosmyk płowych włosów, wydartych z mądrej głowy Rejenta, ten zaś szukał odszkodowania na pałce Cześnika. Całemu towarzystwu groziło wyłysienie, wobec czego przekląwszy krwawym słowem uwodzicielkę, graliśmy jedynie sceny z *Kordiana* bez kobiet.

Takiej prawdy wzruszenia nigdy już w życiu nie odczułem w teatrze. Dreszcz i zgroza przechodziły widzów (mama, siostra, kucharka i lokaj za drzwiami), kiedy sobie car z wielkim księciem gadali: „Gdzie się owa piękna Angielka podziała, lat szesnaście, niewinna, płocha, jak śnieg biała?..." Ha!

Sędzia śledczy nie umiał tak zmieniać głosu w sztylet, torturując pytaniami zbrodniarza! Gdyby nie drobne zajście, car bowiem pobił za kulisami wielkiego księcia, łotr ten bowiem ukradł mu bokobrody, żywot tego teatru byłby pełen wieczystej chwały...

Wszystko to jednak jest mizernym drobiazgiem, sprawą wspomnienia niegodną, wobec prawdziwych zaślubin z teatrem. Kiedy mnie – zwykłym zresztą i łatwym do przewidzenia porządkiem rzeczy – wylali z kolei z gimnazjum w P., utknąłem już na amen w gimnazjum we Lwowie, który mi się wydawał wówczas ośrodkiem świata, pępkiem ziemi i siedzibą wszystkich szczęśliwości.

Tu był teatr – o rany!

Prawdziwy, wielki, wspaniały teatr, duma świata. Po upływie kilku miesięcy nie było w olbrzymim gmachu hr. Skarbka takiego kąta, którego bym nie znał ja i ci moi koledzy, którzy poszaleli „teatralnie", takich bowiem było kilku.

Słuchajcie, słuchajcie!

Oto jest powieść „nie skłamana w niczym", rzewna powieść, jak młody, chudy, zawsze wygłodzony żak zaczął kochać teatr tak namiętnie, że tego wtedy inaczej wyrazić nie umiał, jak tylko barwą rumieńca, błyszczeniem oczy i niespokojnymi snami.

Boże mój! Gdybym policzył, ile razy nie jadłem, aby tylko być w teatrze, mógłbym bez procesu kanonizacyjnego zostać wielkim świętym za posty i umartwienia. Gdybym mógł wypowiedzieć wszystko... Nie!.. Nie mogę... Łez mi żaden drukarz nie wydrukuje. Byłyby to czarne znaki, a nasze łzy były jasne jak szczęście i takie czyste, jak poezja... Stary teatr lwowski jest to gmach ogromny, sędziwy, ku upadkowi dziś się chylący. Mieszkała w nim dusza wspaniała i tęczowa. Wielkie dzieło Skarbka pełne było blasku i wielkości.

Teatr miał trzy piętra, a na trzecim było jeszcze jakby półpięterko, drewniana zagroda, tak już wysoko, że smarkacz tam stojący głową dotykał powały. Na tych to wysokościach, jak na szczycie Everesta, szalały burze i miotały się w naszych duszach błyskawice. Tuż nad nami, o pół metra wyżej, mieszkał już Pan Bóg, który czasem, zasłuchany w śpiewy na scenie, roztargnioną ręką gładził nasze głowy, czupryny płowe i rozwichrzone myśli albo dziwne usłyszawszy w rozgorzałych serduszkach szmery, spojrzał i mrucząc: „czego beczysz, głupi?" – ocierał ciepłe łzy z niebieskich oczu.

Och, słabo mi...

Sztuką w owych czasach największą, najprzemyślniejszą, czarodziejską i zachwyt budzącą był sposób dostania się do teatru. Z niemą zawiścią i z głośną pogardą patrzyliśmy na takiego, którego ojciec zabrał do teatru. W ten sposób dostać się może na przedstawienie byle idiota. Ale zapolować na tygrysa (tygrysem był bileter) i być trzydzieści cztery razy w teatrze w jednym miesiącu, oto jest rozkosz rozkoszy, oto tryumf duszy genialnej!

– Stuknij się pan w czoło! – rzeknie mi czytelnik. – Jak można w dniach trzydziestu być w teatrze trzydzieści cztery razy?

– Uderz pan głową o mur! – rzeknę ja czytelnikowi. – A wtedy pan pojmie! Nie tylko trzydzieści cztery razy, bo czasem trzydzieści pięć.

– Wariat!

– Sam wariat! Trzydzieści przedstawień codziennych wieczornych, cztery przedstawienia niedzielne, popołudniowe, a czasem jedno jeszcze w jakieś nadzwyczajne święto – ile to razem?

– Pan ma zawsze rację – mówi czytelnik i ściska mnie.

Oto prosta sprawa! Teraz proszę sobie wyobrazić, jak wielkiego natężenia myśli potrzeba było, jakich cudów, jakich wysiłków niezmiernych, by zdobyć niezdobytą fortecę tyle razy w miesiącu. Tak! Czasem czułem się zmęczony... Czasem zlatywałem na łeb ze stromych schodów i wtedy ogarniało mnie niejakie zniechęcenie. Ale na krótko.

Sposobów na wzięcie udziału w uczcie bogów było wiele, najpierw zaś wyczerpywało się niezawodne: sprzedawało się książki szkolne, wielkim zresztą trudem zdobyte, ludzie jednak rujnują się dla kochanki, cóż dopiero, jeśli tą kochanką jest takie bydlę cudowne, jak teatr! W klasie trzeciej biblioteka naukowa składa się z książek sześciu lub siedmiu; należało więc niczego nie robić lekkomyślnie, lecz rozważnie, ostrożnie, z rozwinięciem nieprzebranego doświadczenia w sprawach handlowych. Żyd, książki od sztubaków kupujący, był to psycholog nie lada, wiedział, Kajfasz jeden, od jednego spojrzenia, dlaczego się książkę sprzedaje, czy się ją sprzedać musi ze względu na dług honorowy po przegranej w guziki, czy z głodu, czy z łakomstwa, czy dla rozkoszy pójścia do teatru. Trzeba więc było mieć twarz marmurową jak przy wielkiej grze, spokój wspaniały ducha, jak przy śmiertelnym pojedynku, raczej uśmiech na twarzy, lekceważące spojrzenie i chytrość niedbałą w ruchach.

Przebieg samego procesu też był obmyślony głęboko i na tradycyjnym oparty doświadczeniu. Wiadomo bowiem, że system zbyt prosty jest już nic niewart i do niczego nie prowadzi, na pytanie bowiem: „ile pan da za to?" – odpowiadano: „a ile pan chce?" i tak można było do rana. Trzeba było działać inaczej, dowcipniej. Szedłeś na przykład sprzedawać „podręcznik do nauki religii". Dziwne to, ale zawsze ta książka szła na pierwszy ogień, Boga bowiem nosiło się w tym wieku w sercu, nie w szkolnym tornistrze.

Ukrywałeś książkę pod kurtką i walisz do Żyda.

– Ma pan „podręcznik do religii", panie Bodek?

– Czemu nie?

– Co to kosztuje?

– Prawie nic! Koronę..

– Tak! A jakbym ja chciał nie kupić, tylko sprzedać, tobyś pan dał pół!...

– U mnie nie ma różnicy. Słowo daję, że dałbym też koronę.

– No, to pan daj!

Wtedy dopiero wydobywało się książkę z ukrycia. Antykwariusz zaklinał się na żonę i dzieci, że jej nie potrzebuje, ale zawsze kupował, bo nie mógł zrywać stosunków ze wspaniałymi klientami.

Taki dowcipny kawał był jednak dobry na raz, najwyżej na dwa, bo się spopularyzował i ryba na widok przynęty gładziła wesoło brodę i uśmiechała się cynicznie.

Wreszcie wyszło ostatnie cielę z obory, a każdy stał jak wół na teatralne patrzący wrota. I wtedy dopiero wzywało się boskiej pomocy i cudu, i znaku z nieba. O!

I znowu się udawało...

Na paradyzie były miejsca stojące i zawsze tam było tałatajstwa tyle, co śledzi w beczce. Dziw, ale zawsze kilka dziesiątków widzów więcej, niż sprzedano biletów i niż wolno było sprzedać. Drugi dziw, że się ten teatr nie zawalił.

Przedstawienie zaczynało się o siódmej, a już o piątej pod drzwiami wiodącymi na szczyt ludzkiego szczęścia, na nie numerowaną galerię, był tłok mundurków.

Najbardziej i najgorliwiej cisnął się do drzwi ten, co miał zupełnie prawidłowe i uczciwe prawo wejścia, gdyż posiadał bilet; wiedząc, że jego kolega bez biletu całej nadludzkiej dobędzie energii i jednak dostanie się na górę przed nim, szalony odwagą i silny furią rozpaczliwą, gnany strachem, ciągniony w górę obłędem. Różni różnych używali metod srogiego oszustwa (które Pan Bóg z góry rozgrzeszał), aby się dostać na paradyz. Po wielu latach doświadczeń żmudnych i bardzo skrupulatnych ustaliły się niektóre i były uznane jako niezawodne, wątpliwe lub ryzykowne. Niezawodnym było ciche porozumienie. Łajdak bileter, od którego hołota, bywająca na galerii, nie kupowała afisza, ani – jako żywo – nie wypożyczała lornetki – nie mając innych źródeł dochodu, wchodził w złodziejską spółkę z nami. Po pewnym czasie mieliśmy swojego ministra pełnomocnego, który się dziwnymi znakami układał z bileterem. Pokazywał na migi cyfrę, a on albo się godził kiwnięciem głowy, albo nie, zazwyczaj jednak musiał się godzić, bo w przeciwnym razie zawsze mu mimo wszystkich z jego strony ostrożności ktoś z nas „przeciekł między palcami" i dostał się w górę. Taksa była niewielka, bilet kosztował halerzy czerdzieści, ten zaś bandyta puszczał nas sześciu, czasem – w dzień powszedni – siedmiu za czterdzieści halerzy. Z początku pierwszy z naszej bandy, który stał w kolei, wtykał mu w łapę pieniądze, a reszta wiała za nim jak huragan. Raz nam jednak rzezimieszek zrobił brzydki kawał, bo wpuścił naszego ministra finansów, a zaraz następnego niegodziwie, podstępnie, ohydnie i oszukańczo zatrzymał. Zdawało nam się, że nam teatr upadł na głowy.

Wobec takiego jawnego i nie znanego w dziejach teatru pogwałcenia traktatu, po takim zdradzieckim przedarciu paktu jak świstka papieru, po naradzie burzliwej i groźnej, odmieniliśmy porządek rzeczy. Stanął układ nowy, zabezpieczający nasze tyły: odtąd sześciu wlatywało na schody pędem błyskawicy, a dopiero siódmy wsunął mu haracz w plugawą dłoń. To już było praktyczniejsze.

Nie zapomnieliśmy jednak o naszej krzywdzie, bo się w nas serca krwawiły, żeśmy się dali podejść tak łatwo, odsunęliśmy jednak zemstę na czas bezpieczny, na ostatni dzień przed zamknięciem sezonu. Stanęła ugoda, że nas pójdzie do teatru nie siedmiu, lecz wyjątkowo ośmiu i dopiero ósmy zapłaci całą koronę. Dobrze! Rzezimieszek odliczył siedmiu, którzy pognali w cwał, a ten ósmy, jakiś obcy człowiek, Bogu ducha winny, jeszcze uczciwy, nas wcale nie znający, podaje mu autentyczny bilet: no, i kto dowcipniejszy?

Sposobem wątpliwym było podanie z pewną siebie miną bileterowi w zgiełku i ścisku starego biletu sprzed kilku dni; był to sposób praktykowany rzadko, jedynie w niedziele i święta lub na przedstawienia sensacyjne, kiedy był niezwykły tłok i pod drzwiami na galerię panowało nadprogramowe podniecenie.

Ryzykownym, ale pięknym ze względu na dreszcz niebezpieczeństwa, było umiejętne prześlizgnięcie się w tłoku bez żadnych innych sposobów; wymagało to wprawy niesamowitej człowieka-węża, odwagi i rezygnacji na wypadek przyłapania; zdarzyło się czasem, że takiego śmiałka, godnego zresztą podziwu, goniono aż do połowy schodów i wtedy podróż z powrotem odbywała się z szybkością nadnaturalną, połączoną z małym zresztą niebezpieczeństwem wybicia sobie dwóch przednich zębów, straszliwa bowiem, do nieba wiodąca drabina schodów nie była oświetlona. Nie szło o takie drobiazgi, jak dwa zęby, bo to tani towar w młodości, lecz o sławę mołojecką. Jak bowiem pieśni śpiewano o Kozaku, co przepływa w czajce Nienasytca, tak w sławie ogromnej chodził ten, który po wielekroć razy umiał zwycięsko dojść aż na galerię, gdzie go otaczano szacunkiem i pełną zazdrości miłością.

Było jeszcze kilka sposobów dostania się do teatru, bardzo jednak łatwych i zgoła się nie opłacających. Mizerny był sposób, praktykowany przez niedorajdów i niezgułów, wyczekiwania w westybulu teatru, aż ktoś znudzony wyjdzie po drugim akcie i da bilet smarkaczowi, żałośnie patrzącemu. To nie był sposób honorowy.

Ładniejszym był „sposób wzruszający". Kiedy nie było wielkiego tłoku, można było ryzykować „prośbę o łaskę" do najwyższej instancji teatralnego przedsionka, do wielkiej władzy. Był nią kontroler teatru. Dobry ten, po stokroć dobry człowiek nazywał się Ringler. Wiedział on doskonale, jakich dokazujemy sztuk nieprawdopodobnych, aby zwyciężyć, i patrzył na to przez palce. Znał doskonale nasze małpie gęby i czasem burknął:

– Znowuś tutaj? Dwudziesty raz na *Cyrana*?

Musiał jednak mieć słabość do tych maniaków z wytartymi łokciami mundurków. Niech mu Pan Bóg da wolny fotel w niebie...

Przychodzi się więc do niego z drżeniem łydek i ze słowami boleści:

– Proszę pana, ja jeszcze nie byłem na tym!

– Byłeś, kłamiesz!

– Jak Boga mego kocham, to ten był, ja nie, bo byłem chory...

Wtedy dostawało się łagodnie po łbie i poczciwy człowiek pozwolił wpuścić małego bałwana na galerię.

Jeśli jednak myśli kto, że po przejściu przez drzwi zaczarowane kończyły się wszelkie udręki entuzjasty, ten źle myśli i nie może być uznany za wybitnego znawcę teatru dawnego autoramentu. Gdzież tam! To był dopiero trudny początek utrapień, czasem nierównie trudniejszych. Dotąd działał podstęp, teraz zaczyna się walka. Kiedy przeszedłeś szczęśliwie Scyllę i Charybdę, porywał cię wzburzony nurt; trzystu albo i więcej szybkonogich jelonków gnało przez ciemne jak życie i przez zawiłe jak życie schody do szczęśliwości niebieskiej, oświetlonej elektrycznością. O, ciało moje znękane, w srogich zahartowane bojach! O, żebra, dziko gniecione i trzeszczące! O, kolana, o łokcie, o głowo ty moja nieszczęsna! Szczęście należy do śmiałych, do śmigłych i do szybkich, toteż serce się podrywało we mnie jak ptak, przymykałem oczy i gnałem jak człowiek, co ucieka przed śmiercią. Jedno piętro, już drugie, na Boga! – ostatniego dobywam tchu, już czuję poza sobą gorące oddechy, tupot straszliwy i szaleństwo, jak Mowgli*, kiedy go goniły rude psy z Dekanu – ha! – oto jestem, oto jestem... Wiem, gdzie jest najlepsze miejsce, w jednym kącie, zamkniętym barierą, skąd nikogo już wyruszyć nie można, jak z ostępu – jeszcze dwa jelenie susy, wywalam język jak ogar po śmiertelnej gonitwie i dyszę, dyszę, dyszę... Już mnie nic nie obchodzi. Patrzę obojętnie, jak mniej ścigli walą się w splątanym tłoku, jak się drą za czupryny, przytrzymują za kurtki, podstawiają sobie nogi, uderzają głową w brzuchy bliźnie, jak się kurczowo chwytają drewnianej bariery, skąd ustąpią dopiero za cztery godziny.

Oto szczęście, oto zdobycz wspaniała! Przedstawienie pod zdechłym psem wyda ci się najpiękniejszym na świecie...

Lecz cóż to?! Wszędzie tłok, rwetes, ścisk, wszędzie Dolina Jozafata*, a w jednym rogu galerii jest wzniesienie, jakby loża, w której się kilka wygodnie pomieścić może osób i tam nie ma nikogo? Co to znaczy? Czemu się biją dokoła, a tam się nikt nie kwapi.

Ha! Ha! Niech spróbuje! Ja także raz chciałem być taki mądry.

Zdumiałem sie, że wszyscy na galerii oślepli i nikt nie widzi tej cudownej oazy. Opuszczam więc miejsce, śmiertelnym wysiłkiem zdobyte, ale niezbyt wygodne, miałem bowiem dwóch teatromanów na plecach, a jednego na ramionach, czwarty zaś usiłował mnie podważyć kędyś spod spodu, zwiększając jakoś sztucznie rozstęp moich nóg. Ku przerażonemu ich zdumieniu opuszczam to miejsce i jak Kolumb – jajko stawiający, zmierzam ku tej królewskiej loży, gdzie sobie stawam najspokojniej.

---

* Mowgli – bohater „Księgi dżungli" R. Kiplinga.
* Dolina Jozafata – wg Biblii miejsce Sądu Ostatecznego.

Widzę, że cała galeria patrzy na mnie z podziwem... Nie! jakoś nie z podziwem, tylko trochę inaczej, wesoło raczej, a bodaj, że kpiąco. Wiadomo, że na galerii bywa hołota. Jestem jednak dziwnie w sercu niespokojny, coś przeczuwam i coś mnie trwoży.

O, rzezimieszki, o, niegodni! Czuję, jak mnie ktoś mocno chwyta za kołnierz mundurka, wobec czego, jak tonący chwyta się belki, tak ja się chwytam rękoma śmiertelnym, okropnym wysiłkiem balustrady. I słyszę głos:

– Ta ty tu czego?

Widzę kątem oczu gębę napastnika, czerwoną z gniewu.

– Ta co jest? – krzyknąłem.

Nadmieniam, że w chwilach podniecenia używam zawsze prawidłowej wymowy lwowskiej z owym „ta", krzepiącym, groźnym, wspaniałym, bujnym, wielomownym, wszystko oznaczającym. W normalnym stanie umysłu wyrażam się nieprawidłowo.

Wtem się zjawia jakiś drugi, jakiś piąty, jakiś siódmy. Już rozumiem, to wszedłem do loży „abonowanej" przez tych zbójców.

– Nie pójdę! – drę się w obłąkanej rozpaczy, bo i cóż ja zrobię, sierota? Gdzie się podzieję w tej chwili tam, gdzie nie można wetknąć szpilki? Gorzej! Rozpacz moja zdaje sobie z tego sprawę, że jeśli narobię wrzasku, to mnie gotowi zapytać o bilet, bo wszędzie mogą się znaleźć źli ludzie. A wtedy teatr się zawali. Kilka par rąk podniosło mnie lekko i jak piórko poleciałem w przestrzeń. Zrobiło mi się ciemno w oczach, bo nade mną huknął śmiech całej galerii.

Kolega mi potem wytłumaczył.

– Ta ty wariat, ta po coś tam lazł? Oni już wszystkich nabili, kto tylko próbował. Ta to jeden, co się uczy na malarza, a jeden na skrzypka. To siódma klasa! Ten, co się na malarza uczy, to najgorszy. Jego się nawet policjant boi!

Na malarza się uczy? Na skrzypka? To co innego, ale czemu taki bęcwał od razu tego nie powie? Zaraz bym wiedział, że z takimi lepiej nie zadzierać. Pretensje moje upadły od razu, bo widocznie w tych zbójcach przeczułem serdecznych później przyjaciół... Czekałem potem miesiącami, kto później wpadnie w tę jamę lwów? Chciałem mieć satysfakcję...

Tymczasem zaś, jako człowiek biegły, patrzyłem i słuchałem, a dusza moja wytrzeszczała sto par oczu.

A o tym później... W tej chwili marzę...

ROZDZIAŁ PIĄTY

o obłędzie metodycznym

Nawet stół, na którym co dnia przez wiele lat stawiają potrawy, potrafi wreszcie rozróżnić kotlet wieprzowy od rozgotowanej cielęciny; nawet baran doświadczony odróżni oset od słonej trawy; ba, nawet kobieta po wielu latach rozumowania odróżnia kapelusz od dzieła filozoficznego. Nic więc dziwnego, że bystre chłopaki przejrzały wielką tajemnicę teatru i „rozumiały się na nim" niemal jak na tajemnicach szkoły, wiadomo zaś, że łatwiejsze jest zbadanie lasów w Afryce Środkowej niż spenetrowanie wszystkich zawiłych ścieżek i tajemnych labiryntów szkoły, nie ze strony jej uczonej, tylko z tej słonecznej, gdzie hasa i bryka młoda dusza.

Znaliśmy się na teatrze tak przenikliwie, jak dziś żak zna się na kinematografie i potrafi z samego tytułu i z wystawionych u wejścia fotografii orzec nieomylnie, czy obraz jest naprawdę zajmującym, czy jest tylko haniebnym szwindlem, sprytnie się reklamującym. Na byle co nikt nas nie potrafił „nabrać" i choćby dyrektor teatru, który zapewne mało dbał o taką tłustą jak my publiczność, nie wiadomo jakie czynił cuda, aby przemycić sztukę nie wedle naszego gustu, bardzo się zawsze musiał sparzyć, bo myśmy wiedzieli, cośmy wiedzieli.

O, boleści! Swojska twórczość nie budziła w nas zachwytu. Owszem, raz pójść – na premierę, to nawet należało do dobrego tonu, ale nigdy więcej. Było to tym łatwiejsze, że oryginalne arcydzieło z małymi wyjątkami zaczynało kaszlać na premierze, nazajutrz było bardzo chore, a trzeciego dnia zazwyczaj umierało. Chociaż więc czasem chcieliśmy z duszy i z serca otoczyć opieką jakąś sztukę i uprzejmie ofiarowaliśmy jej naszą protekcję, umierała ona jednak, co nas wprawdzie napełniało zmartwieniem, lecz nie na długo, gdyż z sumieniem byliśmy w zupełnym porządku. Ocalał w tych dniach *Tamten* Zapolskiej (która się nazywała wtedy Maskoffem), bo grał w nim Kamiński i straszliwe się w tej sztuce odbywały historie z żandarmami, co było niezawodne jako powód do powodzenia. Zbyt jednak mieliśmy smak wyrobiony, aby nas można było podejść – nas i nasze serca – krwawą ramotą, rozjęczaną i zapłakaną. Nie! To nie to! Coś w tym jest pewnie, ale to nie to. To się może w nocy przyśnić głowie, ale serce będzie spało kamiennym snem, pochrapując ze zbytku zdrowia i ze zbytniej ilości powietrza w łakomych płucach, żarłocznie tlen pożerających.

Zbójcy Szyllera – ba! to mi jest sztuka. Boże ty mój! A potem *Cyrano de Bergerac*, a *Kordian* – Jezus, Maria! A *Zemsta*, a *Śluby Panieńskie*! O, rany!

Co tu wiele gadać? Myśmy wiedzieli, gdzie mieszka poezja; toteż wdzieraliśmy się na złamanie karku, na złamanie kilku nóg i rąk na ten wyż, na ten szczyt góry Horeb, skąd widać ziemię obiecaną i złote słońce, rodzące bez wysiłku grona wielkości ludzkiej głowy – na paradyz. Kiedyś stamtąd spojrzał jastrzębim okiem, toś widział w dole, w wąwozie sceny, dolinę rajską, dwadzieścia kilka kroków raju, kwiaty rozkwitłe purpurą, światłość słoneczną (idiota mógł tylko twierdzić, że to elektryczność!). Dusza patrzyła przez moment olśniona, zachwyconym wzrokiem, po czym nieodmiennie działo się zawsze to samo, to samo piękne i szczęśliwe: jak śmiały pływak ciska się z wysokości trampoliny w błękit wody, na której dnie drugie pukli się niebo, zanurza się w niebieskiej rozkoszy fali i tylko szum wielki ma w głowie, a serce z wysiłkiem śpiewa chwałę tego szaleństwa, co się ciska w odmęt, jakby chciało stamtąd wynieść perłę albo chwilę ułudy z innego świata, z innego żywiołu, czystszego i błękitniejszego niż wszystko na świecie – tak oto ciskały się nasze dusze upojone głową na dół z tego paradyzu w błękitną rajskość poezji.

Nie było szmaty kulis, nie było odrapanego lasu ani pomarszczonej, jak stara babka, płachty nieba; nie! Były pałace, na jaspisowych oparte kolumnach, był las, szumiący i szmaragdowy, i było niebo, kapiące błękitem. Była to prawda złota, promienista, prześwietlona jasnością, która ujrzawszy serca nasze małe i biedne, szczęściem niepojętym zachwycone, pochylała się jak królowa ponad nami i całowała nasze czoła. Na taką głowę spadł wtedy najsłodszy obłęd.

Wszystkie te nadobne porównania, które wypisuje stary dziś dryblas, mieściły się wtedy w treściwym jakimś słowie nieświadomego zachwytu albo li tylko w obłąkanym cokolwiek spojrzeniu, bez jednego słowa. Taki mały bałwan wyszedłszy z teatru sprawiał wrażenie pijanego: miał błędne spojrzenie i zataczał się. – Oczywiście! Siedzieć cztery godziny w niebie i potem zejść na ziemię i wracać przez błotniste wyboje do nędzy żywota i do takich jego potwornych, zbrodniczych okropności, jak zadanie rachunkowe z ułamkami, to chyba mogło przyprawić o obłęd. Dodać do tego należy podniecenie i gorączkę przed dostaniem się na paradyz; dodać trzeba pozycję oszalałą, czasem bowiem wisiało się w powietrzu, nie dotykając nogami ziemi, tak cię bowiem tłok ludzki wysadził w górę, jak korek z butelki, tak trwałeś żywy, a jednak umarły, obcą przemocą poruszany, jak owe trupy wojowników pod Kartaginą, co szły w tłoku bitewnym, bo upaść nie mogły; dodać trzeba temperaturę tego nieba, która była temperaturą piekła, a wtedy łatwo się już pojmie, że stan wcale przyzwoitego szaleństwa był w zupełności możliwy.

Ustępowało ono powoli, czasem trwało przez cały ciąg nocy pełnej widziadeł, zawsze jednak między upojeniem pobytu w teatrze i równie miłym upojeniem wspomnienia była chwila zła i ponura, wracająca nieodmiennie w tym samym czasie, kiedy się późno powracało do domu. Ha! ha! Boskie szaleństwo było nierozumiane nigdy i prześladowane zawsze. Jest to wieczysta tragedia poezji, ponura tragedia ludzi słonecznych i duchów promienistych. Na to trzeba było być z góry przygotowanym, bo oto człowiek słoneczny i duch promienisty zostawał odwracany twarzą ku ziemi, a odwrotną stroną medalu ku powale i walono ducha promienistego trzcinką dotkliwie i boleśnie. Duch zacinał zęby i chociaż powiedzieć tego nie umiał, jednak myślał podniośle: „dla ciebie, poezjo, to dla ciebie!" Nigdy mnie srożej nie pobito niż za *Ryszarda III*, tak, jakbym ja był temu winien, że wspaniała ta sztuka kończyła się o północy! Czy starsi ludzie są logiczni? Zaprawdę, nie! Byle nabić...

Któż jednak mógł pognębić poezję, któż mógł zakatrupić zwyczajną trzciną święty zapał? Trzeba by chyba było bić trzciną w serce, a oni bili niemądrze w najbardziej od serca oddalone okolice. Czy to mądrze? Każdy przyzna, że nie bardzo, i my byliśmy wówczas tego zdania. I cóż! Bijali nas, bijali z beznamiętną cierpliwością, aż się wreszcie zmęczyli. Ostatecznie szkoda było ubrania, bo się od tych ciągłych trzepań nieznośnie rozlatywało. Nabili nas w piątek, wobec czego poszliśmy do teatru w sobotę, nabili w sobotę, poszliśmy w niedzielę. Pytam więc: po co te awantury, te krzyki i te hałasy po nocy? Dali wreszcie spokój, kiedy się okazało, że nawet środki, tak na pozór niezawodne, jak więzienie prewencyjne, okazały się zupełnie śmieszne. Starzy ludzie, uśmiechając się złośliwie, zamykali cię przed siódmą godziną do jakiejś komórki albo na strychu. Ach! Jakże się uśmiałem! Z komórki uwalniał cię kolega, a ze strychu przez dach podróż nie była zbyt uciążliwa, bo dom był parterowy i drabina na wypadek ognia zawsze przy nim stała. Człowieka, który chce być na *Otellu* i ujrzeć bohatera, co floty nieprzyjaciół palił, nie przerazi byle strych.

Czyż to nie śmieszne?

Starsi ludzie nabrali tedy jakiego takiego rozsądku i machnęli na to ręką, byle ze szkoły przynieść jakie stopnie. Było to żądanie tak mizerne, że nie warto sobie było zaprzątać tym głowy. Gorzej jednak bywało z innymi sprawami. Czasem bowiem ni stąd, ni zowąd robiło się w domu piekło najbardziej piekielne, i to zawsze późno w nocy.

Wrócił człowiek z teatru, jak wąż wślizgiwał się do barłogu, zamknął oczy i marzy, marzy... Oto piękny Karol Moor* wygłasza mowę płomienną i wiedzie towarzyszów swoich w Czeskie Lasy. Oto idzie z Amalią i mówi do niej słodko w galerii przodków. Oczy się kleją, ciało umiera, ale dusza jest wciąż wśród tych ludzi wspaniałych, upojona i wniebowzięta. Ho! Co to jest?! To czarny Franciszek Moor, kąsany przez wściekłego psa strachu, wypada ze świecznikiem w ręku i rozdziera powietrze okropnym krzykiem: „Zdradzony! Zdradzony! Zdradzony!"
Coś się wali, coś drży, coś pęka w spojeniach! Świat cały wiruje, woła, krzyczy, jęczy.
Na Boga! To chyba ten świecznik Franciszka Moora tyle sieje światła, że tak jasno! Otwieram oczy i widzę jakiś Sąd Ostateczny: dokoła przerażone twarze, a kucharka czyni znak krzyża. Ja stoję na środku pokoju z prześcieradłem w ręku i jeszcze krzyczę: „Zdradzony! Zdradzony!"
– Zwariował! Jak Boga kocham, zwariował! – mówi jakiś głos.
Przywołali mnie do przytomności sposobem gwałtownym, tak gwałtownym, że resztę nocy przespałem, leżąc na brzuchu. Inna naturalniejsza do snu pozycja była zbyt bolesna. Gdybym był miał syna, mógł był mnie zapytać nazajutrz, jak Franciszek Moor swego ojca hrabiego: „Czyś zdrów, moj ojcze, wyglądasz tak blado?"
Jakże nie miłować z całej duszy tego, dla czego się tyle poniosło ofiar, tyle wycierpiało krzywd, tyle boleści! Toteż się miłowało, och, jak się bardzo miłowało! Miłością tak bardzo namiętną, że już w młodym sercu nie było miejsca na nic chyba więcej, w każdym razie nie było tam miejsca na zło. Nie mogło się zmieścić już nic tam, gdzie płakał król Lear, gdzie szalał Cyrano, gdzie biadał Uriel Acosta, gdzie kusztykał Ryszard III, szukając w nim swego konia.
Uriel Acosta Gutzkowa był wtedy bardzo u nas modny i należał do sztuk uprzywilejowanych, licho wie, czemu? Rzecz prosta, że o tej żydowskiej, bardzo zresztą zajmującej hecy, nie umieliśmy wydać sądu. Była to „morowa" sztuka. W wyrazie „morowa" mieści się zachwyt bezkrytyczny; wszystko dobre, piękne, zajmujące, żywe, bujne i wszystko to, co serce porywało zachłannie i chłonęło w siebie, nazywało się „morowe". Jest to krzepki i młody wyraz, rzec można – morowy wyraz. Nikt z nas nie znał przecie genialnego określenia tej sztuki przez jednego z krytyków niemieckich, który powiedział o niej: „Ein merkwürdiges Schauspiel! So viele Juden und keine Handlung!"*

---

* Karol Moor – bohater „Zbójców" F. Schillera.
* „Ein merkwürdiges..." – „Osobliwa sztuka! Tak wielu Żydów i żadnego handlu!"

Myślę, że *Uriel Acosta* znalazł wielką u nas łaskę przez Romana Żelazowskiego. Był on wtedy „in floribus"* i grał same takie role, za którymi przepadaliśmy razem z głową i z odrobiną rozumu w tej głowie. On ci to grał Uriela, Otella, Franca Moora, Henryka w *Dzwonie zatopionym*, Ludwika XI, same takie pyszne rzeczy. Toteż nie było dla młodych szaleńców większego ponad niego aktora na świecie. Czasem się ten i ów skrzywi dzisiaj w moją stronę na temat: dlaczego z takim zbytkiem sentymentu piszę o tym lub tamtym lwowskim aktorze? Chciałbym mu rzec:
– Bo mnie bili, kiedym go uwielbiał. Bo nie jadłem śniadania i byłem głodny, aby usłyszeć, jak on mówił. Bo on mnie nauczył Szekspira i Słowackiego. Bo go kochałem. Czy mam prawo do wdzięczności?

Człowiek, który się przed chwilą krzywił w moją stronę i miał mi za złe moją wielką miłość wszystkiego, co było duszą Lwowa, uśmiecha się do mnie i szepce:
– Czyni pan jak uczciwy człowiek. Kocham pana za to!

Wtedy to było we Lwowie kilkuset Żelazowskich. Prosty rachunek: każdy z nas gadał tak jak on. Kiedy jeden młody kretyn miał powiedzieć do drugiego młodego kretyna: „Ty, Staszek! Oddaj mi ołówek, bo cię kopnę!" – nigdy tego nie mówił po ludzku, tylko zawracał białkami oczu (Otello), ponuro opierał ręce o byle co (Ludwik XI), trząsł przez chwilę głową jak paralityk albo jakby chciał wytrząść wodę z ucha (Franc Moor), nabierał powietrza do brzucha, po czym stamtąd je wydmuchiwał w nos i „szemrał" jakąś bardzo wysoką fistułą, a jednak ponuro, a jednak z rozpaczą w sercu, ściśle mówiąc – w nosie:
– Oddaj mi pióro, bo cię kopnę!

A drugi matoł łapał się ręką za serce, a potem nią machał długo (Uriel Acosta!) i znów „szemrał":
– Całuj psa w nos!

Ach, to było piękne!

Naturalnie, że nie było to takie proste i łatwe, w manierze Żelazowskiego bowiem były wspaniałe niuanse, które można było wydobyć w długiej frazie, w długim różańcu rzeźbionych słów, a nie z repertuaru sztubackiego. „Prawdziwego" zaś Żelazowskiego robił ten, co potrafił mówić długo, długo, bardzo długo głosem równym, jakby bezbarwnym, szemrzącym jak woda wyciekająca z nosa, bo wszystkie dźwięki musiały być nosowe, a potem nagle, nieoczekiwanie, w miejscu najmniej prawdopodobnym krzyknąć rozdzierająco, trzasnąć słowem jak petardą, jakbyś długo napełniał powietrzem balonik, aż nagle pęknie. Naprawdę wspania-

---

* „in floribus" (łac.) – dosł.: „w kwiatach" – w najlepszym okresie, w najlepszej formie.

le było wtedy, kiedy taki przeraźliwy akcent padał jak kamień z jasnego nieba, nie na jakieś ważne, ciężkie, czarne, ponure lub krwawe słowo, lecz przeciwnie, na jakieś biedactwo skurczone i blade, mało znaczną sierotę słowa, na jakiś zaimek lub przysłówek. Ho, ho! To nie tak łatwo! Kiedy Otello mówi: „Żem starcowi temu porwał córkę – prawdą jest!" – ten będzie akcentował słowo „porwał", inny wpadnie z krzykiem akcentu w „córkę", inny jeszcze chwyci w kleszcze głosu słowo „prawdą". No i co to za sztuka? Żadna sztuka! Żelazowski akcentował słowo „żem!" Oto jest dopiero majster! To „żem" nigdy się nie spodziewało, że się zmieni w grzmot i grom, że krzyknie tak, iż tynk odlatywał od powały teatru, a ludzie cofali się w pierwszym rzędzie, więc się biedactwo skryło w szeregu wielu tysięcy słów, aż przyszedł Żelazowski, spojrzał, podniósł je, rozmachnął i cisnął w teatr, jak kamień. Reszty słów tego zdania można już było nie słuchać, bo wobec tego „żema", straszliwego w pysze i potędze „żema", wszystkie słowa były blade i marły, zanim zdołały zmienić się w głos.

Przedziwnie nam to imponowało, bo było ponure i straszne. Człowiek wiedział z góry, że jak Żelazowski wchodzi na scenę, to będzie jakieś nieszczęście, więc dreszcz rodził się pod płową czupryną i biegł drogą zawiłą przez plecy aż do pięt. I tak nieodmiennie, dwadzieścia razy z kolei. Każdy z nas umiał na pamięć wielkie sceny z *Otella* czy *Ryszarda III*, ale się wzruszał zawsze w tym samym miejscu, wiedząc, że tu zacznie Żelazowski niesamowicie trząść głową, wzbierając w sobie burzę wściekłości, że tu rękę wyciągnie, a blady strach wtedy padnie na kulisy, że tu zacznie mówić niby spokojnie, ba! niby śmiertelnie spokojnie, a to wszystko było udanie; podstęp diabelski, bo on tą drogą straszliwą zmierza do krzyku, którym krzyknie za chwilę śmierć, do jakiegoś „żema" albo do beznadziejnego: o! o! o!

Jak on to mówił w *Właścicielu Kuźnic*:

– „Zabiję cię albo cię złamię!"

Pysznie mówił; drżeliśmy na paradyzie, jak na wielkim mrozie! Przekładaliśmy krwawą tragedię nad wesołość. Kochaliśmy takich arcyaktorów, jak Fiszer, Feldman, Gostyńska, Jaworski, Nowacki (wszyscy umarli biedakowie najdrożsi), jak Czaplińska, Bednarzewska, jak kilku jeszcze, ale uwielbialiśmy tylko ponurą wspaniałość Żelazowskiego, Hierowskiego, Chmielińskiego. Szczególnie dla śp. Hierowskiego mieliśmy uczucie prawdziwej miłości, zmieszanej z litością i serdecznym współczuciem. Człowiek ten grał zawodowo tylko czarne charaktery, toteż nie było wieczora, aby go nie zadusili, nie zastrzelili albo nie utruli. Pewnie, że nie było to ładnie ze strony uczciwego człowieka robić takie intrygi, by Otello dusił potem Desdemonę, ale znów tak bardzo mścić się za to nie należało. Bardzo, bardzo było nam go żal!

Po okresie manii udawania Żelazowskiego zapanowała nagle, dnia jednego, mania sroższa jeszcze: „cyranizm". Oj, to było nadzwyczajne! Na *Cyrana de Bergerac* szliśmy bez wielkiego przekonania. Autor był nam nie znany, my zaś mieliśmy zaufanie do starszych firm, Szyllera, Ohneta, Sardou, ostatecznie do Hauptmanna. Kim jest ten Edmund Rostand, nikt nie wiedział. Cokolwiek mieliśmy nadziei, że coś się z niego da zrobić, sztuka bowiem miała aktów pięć. To już jest coś... Aktów dziewięć byłoby lepiej, no, ale niech już będzie pięć; Szekspira dlatego uznaliśmy za wielkiego pisarza, że człowiek po trzech godzinach tracił rachubę, ile już było odsłon, a nigdy nie wiedział, ile jeszcze będzie? To jest poeta, to rozumiem! Trzeba było odsłony karbować scyzorykiem na poręczy galerii!

Zobaczmy jednak tego *Cyrana*. Trochę nas zaniepokoiło to, że w dniu premiery niesłychanie trudno było dostać się na paradyz. Oj, to coś znaczy... Na okienku kasy wisi kartka: „Wszystkie bilety wysprzedane". Coś więc ludzie musieli się zwiedzieć o tej sztuce i może to być sztuka „morowa", bo i afisz teatralny jest jakiś uroczysty, biało-czerwony, jaki bywa tylko na wielkim przedstawieniu.

Zaniepokoiło nas to do tego stopnia, że już o godzinie piątej węszyliśmy u drzwi teatru. Miny niespokojne; w oczach początek trwogi i ciekawości. Zrobił się taki ścisk, że dostaliśmy się do teatru łatwo, a już to samo nastroiło nas przychylnie dla sztuki.

Rany boskie! To nie sztuka, to coś takiego... coś takiego... Nie! To się nie da powiedzieć! Musieliśmy to wyrazić wyciem tak przeciągłym, tupaniem tak entuzjastycznym, że teatr drżał w posadach. Byłbym niemądry, gdybym to usiłował opisać, tego bowiem nie zdoła żadne ludzkie pióro. Któż opisze sen – sen wspaniały, burzliwy, rozkoszny, zalany oceanem rymów, przebity szpadą po stokroć przez serce, pełen miłości i śmierci, strzelania i krzyków, radości i rozpaczy, śmiechu i łez, sen pełen słońca i księżyca, Francuzów i Hiszpanów, sen, w którym od razu jest teatr i knajpa, i Paryż, i pole bitwy, i klasztor.

Gdyby tak jeszcze cmentarz – mój Boże! Ale i tego było dość! Tego już było za wiele, jak na biedną oszołomioną, nieszczęsną, rymami podrażnioną duszę!

A jak to grali: Cyrana – Chmieliński, Stachowiczowa – Roksanę, Wostrowski – Nevilleta, Feldman – Rageneau, Hierowski – księcia, Nowacki – markiza, tego, co się pojedynkuje, Walewski – pijanego poetę, Różański – kapucyna, Jankowska – pazia, śliczna jak anioł Nałęczówna (umarło biedactwo!) – siostrę Martę, Bogucki – Montflery'ego (czytam ten afisz z serca).

Dnia tego zamianowaliśmy Józefa Chmielińskiego największym aktorem całej Europy, Ameryki i wielu innych części świata, kochankiem zasię naszym stał się Cyrano, kapitan czart. Staliśmy się szlachetni jak on, dumni jak on i jak on rycerscy. Nie należy dodawać, że zaimponował nam wszystkim, lecz jeden wzgląd, jedna jego cnota, na którą mało kto zwrócił uwagę – zawróciła nam doszczętnie w głowie. Bił się cudownie, ale to mało; od tego był Gaskończykiem, aby się dobrze bił. Kochał cudownie – racja! – ale od tego był poetą; umierał ślicznie i rzewnie z tego samego powodu. Nie ma co! – morowy człowiek! Ale, o ludzie! W jednym miejscu człowiek ten niesamowity zaimponował nam, nam, którym się zdawało, że na całym świecie nie mamy równych w jednym przedziwnym kunszcie, w sztuce podpowiadania! Wszak treścią, duszą, istotą szkoły jest podpowiadanie; gdyby ta sztuka zanikła, można by zamknąć wszystkie szkoły na świecie. Byli wśród nas mistrze nad mistrzami, co umieli ci podpowiedzieć odpowiedź na profesorskie pytanie w sposób diabelski (o czym będzie naukowy rozdział) – lecz tak podpowiadać cudownie, bo bez przygotowania, jak Cyrano podpowiadał Chrystianowi pod balkonem – tego chyba nikt na świecie nie potrafi. Rymami! Najśliczniejsze wiersze! O pocałunku!

Kochaliśmy te wiersze i każde wśród nich słowo. Rycerska burza powiała ze sceny jak huragan, rycerską łapą chwyciła nas za płowe czupryny i poniosła na księżyc. Życie uczyniło się piękniejsze. Warto było żyć, och, warto! Wszystko naokoło nas było szare, malutkie i mizerne, a ten Francuz zwariowany rzucił nam nowe jakieś życie ze srebrnego księżyca. Podnosiliśmy oczy na księżyc, a Cyrano jego twarzą do nas się uśmiechał. Księżyc stał się nam bliski i kochany, bo tam był Cyrano, ten czarodziej, co nam swoją przeczystą szpadą pootwierał serca jak poczwarki i z serc wyleciały motyle pożądań rzeczy czystych, motyle pragnień rzeczy idealnych, poezji i rymów miłości. Dusze w nas były wiotkie, nędzne, blade, od lada podmuchu słaniające się. Kiedy jednak Cyrano spojrzał na nas ze sceny, mężnieliśmy, wypinaliśmy piersi i patrzyliśmy groźnie.

Ostatnim wyrzutkiem był wśród nas ten, co nie umiał *Cyrana* na pamięć. Ja do dziś wiersz, w którymkolwiek miejscu zaczęty, będę mówił dalej. Ba! Chmieliński, grający Cyrana jak dwudziestu aniołów, miał takie nieszczęśliwe miejsce, w którym się zawsze mylił. Zdarza się często, że gdy aktor na premierze pomiesza ze sobą słowa i nie może z nich wybrnąć, to na każdym następnym przedstawieniu z samego strachu, że się może znów zaplątać, myli się w istocie. Znaleźliśmy tę piętę u Chmielińskiego i z poczciwym uśmiechem na ustach szeptaliśmy te dwa wiersze „o kurcie bawolej" – bez pomyłki.

Byłem na *Cyranie* dwadzieścia cztery razy, z tego prostego powodu tylko tyle razy, bo go więcej nie grano. Uwielbieniem swoim dla tej sztuki wzruszyliśmy już na stałe kontrolera teatru, bo nas wpuszczano na galerię jakoś dziwnie łatwo. W teatrze zrozumieli zapewne, że jesteśmy pożyteczni, takiej klaki bowiem, szczerze zachwyconej, nie mógł nikt kupić za najdroższe pieniądze.

Nasze miłosne szaleństwo do dramatu było wyczerpującym, niełatwo to bowiem dzień w dzień powtórzyć z aktorami szeptem kilka tysięcy wierszy, strachać się o aktora niedysponowanego albo o źle przygotowanego zastępcę. Wiele z tym mieliśmy zmartwienia i wiele nas to kosztowało zdrowia, choć na ogół byliśmy z kierownictwa teatru dość zadowoleni i dlatego łaskawie odwiedzaliśmy go codziennie. Za ciężką jednak pracę, która ssała nasze dusze, należało się nam wytchnienie, które znajdowaliśmy, łatwo zresztą, w tym samym teatrze. Na tej samej scenie gmachu Skarbkowskiego mieścił się dramat, opera i operetka, więc kiedy nas dramat napełnił gorączką i umęczył nam serca, lała się na nie opera, jak balsam, albo nas głupawym śmiechem leczyła operetka. I ten dział, grany i śpiewany, znaliśmy na wylot.

Opera była wspaniała i miała doskonałych śpiewaków, którzy w większej części dziś już w niebie śpiewają Panu Bogu. Lwów jest miastem cudownie muzykalnym i rodził śliczne głosy, jak deszcz grzyby. Rozłaziło się to potem po świecie, po Amerykach i Australiach, ale każdy z wielkich śpiewaków najchętniej śpiewał jednak we Lwowie, bo było warto. Takich oklasków zwariowanych nikt nie wygrzmi, jak lwowska publiczność. Stary mój kompan lwowski, Adam Didur, cudem wynaleziony na jakimś lwowskim poddaszu, nigdy nie pominie Lwowa i tam zawsze śpiewa najpiękniej.

Ma za co być wdzięcznym temu miastu. Bo to było tak:

Po jednym występie Didura we Lwowie tuż przed wojną jestem z nim w restauracyjnej sali, gdzie ja ciągnę wino z butelki, a on wyciąga z gardła ślicznym falsetem jakieś nadobne arie z nie znanej mi opery: wtem wchodzi do sali jakiś skromny, starszy pan i zdąża ku nam. Didur się zrywa, rzuca się w stronę siwego pana i na powitanie ściska go czule i całuje w rękę.

– Czy to ojciec? – pytam potem.

– Nie, to nie ojciec – mówi wzruszonym głosem Didur – to więcej niż ojciec. I opowiada.

– Kiedy byłem mizernym studentem, ślęcząc nad książką, oszukiwałem głód śpiewaniem. Aż tu raz puka ktoś do mnie. To był mój sąsiad z poddasza, straszny amator śpiewu, biedaczyna, mały urzędnik kolejowy.

Prosi mnie, abym śpiewał. Śpiewam. Wtedy on mówi: – Musisz, chłopcze, jechać do Włoch, bo masz śliczny głos! – Za co? – Ja się wystaram! – I wystarał się; sprzedał, co miał, pożyczył, gdzie mógł, i wysłał mnie do Włoch. Lata całe biedował, zanim mi się poszczęściło... Całe lata... Taka historia, najprawdziwsza zresztą w świecie, mogła się zdarzyć tylko we Lwowie. W ogóle wzruszające historie mogą się zdarzyć tylko w tym mieście.

Tak tam kochają muzykę i śpiew, tak tam wielbią poezję; jest to jedyne zresztą polskie miasto, gdzie śpiewa ulica, gdzie przedmieście tworzy sobie ballady bohaterskie i gdzie się człowiek do człowieka uśmiecha. A teraz, kto łaskaw, niech się śmieje z lwowskiego „ta joj"!

Cóż dziwnego, że i nas, żaków zwariowanych, dotknął obłęd muzyczny. Mieliśmy swoje ukochane opery, na pierwszym zaś miejscu stał *Lohengrin*. Myślę, że mniej z powodu Wagnera, lecz że większą rolę grał w tym wyróżnieniu łabędź (jak żywy!), pojedynki, awantury. Muzyka także doprowadzała nas do ekstazy, trzeba przyznać sprawiedliwie.

Lohengrina śpiewał w tym czasie Bandrowski, a wiadomo, że go śpiewał jak archanioł, wybijając potężnie każde „ę" i „ą", co pewnie na Monsalvacie było oznaką najlepszego tonu. My jednak, starzy bywalcy, nie mieliśmy wiele czasu na zachwyty nad rycerzem z łabędziem, bo z *Lohengrinem* mieliśmy inne zmartwienia, wcale wesołe, zdarzało się bowiem, że nieraz już w pierwszym akcie burżuazyjny parter zadzierał łysą głowę i ze zgorszeniem patrzył, co się dzieje na galerii, która się „zataczała" ze śmiechu, niby dyskretnie, a jednak na całe gardło. Parter mógł się dziwić, bo ci, co chodzili do teatru raz na pół roku i siedzieli teraz na parterze, nie mogli wiedzieć, co się dzieje tajemniczego na scenie, a o czym myśmy wiedzieli, bo my wiedzieliśmy wszystko.

Króla Henryka śpiewał warszawski bas, Julian Jeromin, jeden z najzacniejszych ludzi, jacy kiedykolwiek śpiewali w teatrze. Miał on w śpiewie tego rodzaju wymowę, że po każdym „r" musiał dodać „e", czasem zaś, nie chcąc tej nieszczęsnej spółgłoski zostawić samotnej, dodawał to „e" przed nią. Toteż aktory, śpiewaki, reżysery, dyrektory, wszyscy razem wymyślali takie „konieczne" zmiany w wierszach libretta, żeby Jeromin miał jak najwięcej tych erów. My wiedzieliśmy o tym, bo – jak się rzekło – w teatrze nie mógł bez naszej wiadomości zdechnąć szczur. Toteż naród słuchał z namaszczeniem, a my z radością, jak królewski bas grzmiał:

„Oreterudo, Feredyryka ceóro i ty szlachetny hereabio Teleramund!"

Oj, skonam!

Ja już tego nie pamiętam, ale przezacny ten śpiewak, którego pogodna dusza w wesołym była nastroju, jak to zwykle na aktorskie imieniny, lep-

szą raz urządził awanturę. Marcel w *Hugonotach* wchodzi na scenę z arią, która ma w refrenie ciągłe i grzmiące słowa: „Pif! Paf!"
Wchodzi Jeromin na scenę i krzyka:
– Pif! Paf!
– Pif! Paf! – podpowiada sufler do drugiej zwrotki.
Bas spojrzał wesoło na suflera, zmierzył się z ręki i zastrzelił go z okrzykiem: „Pif! Paf!" – potem patrzy na skutek strzału i nie śpiewa. Przerażony dyrygent uderza pałeczką w pulpit. Bas z potężnym okrzykiem: „Pif! Paf!" – zastrzelił dyrygenta. Potem zastrzelił inspicjenta za kulisami, który rwał sobie włosy z głowy z rozpaczy, i zastrzelił reżysera, wreszcie najgrubszą zwierzynę, dyrektora, który blady wypadł za kulisy.
Kiedy same trupy leżały dokoła, spuszczono kurtynę, za którą jeszcze brzmiało wspaniale: „Pif! Paf!"
Jakżeż nie kochać takiego serdecznego i wesołego basa! Toteż gdy śpiewał w *Lohengrinie*, galeria mruczała ku niemu życzliwie i najrzęsistsze oklaski były dla niego. Nie były to oklaski do pogardzenia; jak wszędzie na uczciwym świecie, tak i we Lwowie serce teatru mieszkało na galerii, wśród wolnych duchów i niezależnych ludzi, w tropikalnej temperaturze, bo tam się święty zapał gniótł w ścisku i pocił. Zbyt wiele trudów kosztowało nas dostanie się pod pułap teatru, byśmy mieli lekceważyć sąd nasz i zdanie. Tam, na dole, w miękkich fotelach i czerwonych lożach mogła sobie być pogoda, a jeśli na galerii była chmura, to w pewnej chwili grom z niej błyskotliwy i jadowity wystrzelał i walił w scenę, aż dudniało.
Żadnych żartów! Galeria ma zawsze rację, bo ma serce, a kto do teatru przychodzi bez serca, sam sobie winien. Więc się czasem zdarzało, że na galerię padło wzruszenie i galeria miała łzy w oczach. Działo się to zresztą bardzo często, gdyż galernicy, to znaczy – my, mieliśmy serca czułe, łaskotliwe, jak kucharki. Wtedy w teatrze odbywała się generalna próba Sądu Ostatecznego. Ktoś na przykład zaśpiewał na scenie bardzo ślicznie jakąś rzewną arię! Galeria ma serce gdzieś pod gardłem i gada sobie:
– Mamo moja! Jak ona to śpiewa! O, Boże!
Więc się zrywa burza i klaszcze piorunami.
– Bis! Bis! Bis!
Dyrygent chce grać dalej. Nie ma tak dobrze! Burza wali się z góry z większym jeszcze trzaskiem. Śpiewaczka pokazuje na gardło, niby, że drugi raz nie może. Co to znaczy: nie może? Mogła raz, wydoli i drugi raz...
– Bis! Bis! Bis!
Parter podnosi niemądre głowy i bezecnie zaczyna sykać w górę w widocznej chęci obrażenia nas. Tego to już za wiele! Spojrzały chłopaki

po sobie, co na galerii starczy za długie gadanie, i urządziły koncert. Teatr bity setkami rześkich nóg dudni, jak straszliwy bęben; wszystkie lampy drżą, jaskółki w całym mieście wypadają z gniazd, straż pożarna denerwuje się, myśląc, że się gdzieś pali. Pełtew występuje z brzegów, choć szczur ją mógł przejść; dorożkarskie konie, wszystkie bliskie śmierci, strzygą uszyma i chcą uciekać; na Łyczakowskim cmentarzu trąca blady nieboszczyk zielonego nieboszczyka i pyta: „nie wie pan kolega, co się stało?" – wojsko zatacza na gwałt armaty, myśląc, że rewolucja; policjant dyżurny na galerii udaje, szelma, że jest zirytowany i krzyczy wniebogłosy: „ta uspokójcie się, batiary, bo będzie skandal!" – ale robi to tylko tak „na niby", bo sam także pragnie, aby śpiewali raz jeszcze. Śpiewaczka uśmiecha się do nas kwaśno, ale się uśmiecha, potem daje znak kapelmistrzowi.

Tak, to dobrze! Po co zaczynać z takimi, jak my? Raz jeden kapelmistrz próbował i tego wieczoru nie pozwolił, ale na drugi raz to my nie pozwoliliśmy jemu zacząć. Awantura była pierwszej klasy: co on do pulpitu – my w krzyk; zabawa ta trwała z pół godziny. Przysłali na galerię aż dwóch (?) policjantów. No i co? Wielkie rzeczy! Kiedy policjanty były po lewej stronie galerii, wrzeszczała prawa, kiedy pobiegli na prawą, krzyczała lewa, kiedy jeden pilnował lewej, a drugi prawej, robił się w środku podkowy taki tumult, jakby dwustu ludzi nagle dostało obłąkania z bólu zębów. Najspokojniejsi ludzie, nie należący do sprzymierzenia, zarażeni obłędem, dostawali spazmów z krzyku. Kogoś tam zaaresztowali na pięć minut, ale to nic! Kapelmistrza musieli zmienić.

Wreszcie ludzie zmądrzeli i przestali się z nami prawować, bo i na dobrą sprawę nie było o co – wszak chcieliśmy wspólnego dobra i działaliśmy w interesie wszystkich. Zresztą kto zapłacił za bilet, ten chciał coś za to mieć... Jest to argument ze względu na nas słabszy, ale ostatecznie może być użyty.

Potęga galerii okazywała się w całej pełni wtedy, gdyśmy chcieli któremu z aktorów okazać wyjątkowe zadowolenie i kiedy wywoływaliśmy go po spuszczeniu kurtyny. Aktor na to, jak na lato, ale czasem i on miał dość tej męczącej awantury z wychodzeniem przed rampę i składaniem czołobitnych ukłonów, patrzyliśmy zaś bystrze, czy on się kłania dołowi teatru, czy też nam. Bywały wypadki, że nieszczęsny nasz ulubieniec wychodził dwadzieścia razy przed kurtynę. Po czym nam zasychało w gardle i mdlały nam ręce. Aktorowi było lżej, bo szedł na piwo.

Jak długo galeria była w dumnej wojnie z całym światem, było dobrze. Były jednak czasy... Eheu!... Serce mi się krwawi... Były złe i ponure czasy wojny domowej, ciężkiej walki bratobójczej, kiedy to galeria, opętana przez demona niezgody, biła się ze sobą, kiedy to mnóstwo Kainów było pośród nas; kiedy się pobili Grekowie szlachetni tak, że garściami wyrywali sobie młode sadzonki włosów z młodych, niedowarzonych łbów... O, ucisz się, serce, które nie możesz przełknąć hańby!

I o cóż poszło? – Jak zwykle, o drobiazg: o kobietę.

ROZDZIAŁ SZÓSTY

awantura w rodzinie

Więcej niż na operze, a prawie tak, jak na dramacie, znaliśmy się – na operetce. Proszę, aby się nikt w tym miejscu nie uśmiechnął z politowaniem, gdyż operetka owych czasów to nie dzisiejsze idiotyzmy, nawet uśmiechu niewarte. Każda dzisiejsza operetka jest historią niemądrą; w pierwszym akcie oni się kochają i na znak wielkiej miłości tańczą bardzo wesoło; w drugim akcie zawsze się robi, nie wiadomo dlaczego, awantura, tenor śpiewa z goryczą i rzuca primadonnie w upudrowaną twarz pogardliwe kalumnie, a primadonna płacze, tańczy smutno, bo ma serce na nic popękane; robi się dramatyczna scena: primadonna odchodzi, odwraca się jednak, czegoś jej żal, więc podbiega do tenora, wyciąga ku niemu chude ręce, ale on się odwraca, więc ona śpiewa dziko: „Me gorzkie łzy wylałeś ty, odchodzę wraz na wieczny czas!" – i wybiega.

Wtedy tenor wrzeszczy rozpaczliwie:

– „Księżno! Zatrzymaj się!"

Jej już jednak nie ma, bo łajdak przeciągnął strunę i zanadto wielki dramat zrobił babie. W trzecim akcie wszyscy się godzą, wskutek tego z wielkiej radości bardzo tańczą.

Czy to jest mądre? Nie. I oto taka sama historia powtarza się w każdej nowej operetce, tak że primadonna w każdej nowej roli powtarza swoje dramatyczne konwulsje w „tańcu rozpaczy", łamie ręce, biedactwo, łamie serce, targa włosy i z wielkiego żalu po stracie miłości pokazuje gołe nogi. Nic nowego już nikt nie wymyśli.

Ale dawniej cudowne były operetki! Rzewne i śliczne, i pełne takiej miłości, że serce wzbierało oceanem wzruszenia. Dzisiaj w operetkach miauczą, a pierwej śpiewali, bo w operetce Offenbacha, Straussa, Sulivana albo Audrana trzeba było śpiewać dużo i pięknie. Dowcipu było w nich mnóstwo, tak że się teatr za brzuchy łapał i za boki się trzymał. Aktory operetkowe to były znakomite aktory i kawalarze niezrównani. Kiedy taki świetny aktor lwowski, Skalski, w czasie przedstawienia *Mikada* ujrzał w loży wielkorządcę Galicji, Badeniego, padł na brzuch na scenę z okrzykiem zamiast: „Mikado!" – „Ba – de – ni!" Heca była pierwszej klasy i Skalski poszedł, zdaje się, do aresztu.

Najładniejsze jednak były operetki rzewne, gdzie miłość nie darła się z rozpaczy, tylko sobie cichutko pochlipywała, pociągając nosem z wielkiego wzruszenia. My – bałwany poczciwe – bardzo braliśmy do serca te liryzmy i słuchaliśmy smutno, jak Sztygar śpiewał boleśnie i krwawo ironicznie:

> O młynarce z pewnej wsi
> Młody rybak ciągle śni.
> Ona z niego śmiała się:
> „Ach, to nie dla mnie mąż, ach nie!"
> Z dumnym czołem poszła w świat.
> Ii bawiła kilka lat,
> Gdyy wróciła do wsi swej,
> Duuma znikła z czoła jej!

Cóż się bowiem stało? Rybakowi już „wychłódło"; teraz ona prosi, a on nie chce. Powiada jej gorzko:

> Wybacz i nie gniewaj się,
> To nie dla mnie żona, ach nie!

Ona strasznie płakała.

A w *Baronie cygańskim* czy nie było mnóstwa rzewnej rozkoszy? A w *Tyrolce* czy słuchaczowi bardziej czułemu nie mogło pęknąć serce, kiedy tenor, wziąwszy w dłoń serce swoje rozkochane, jak kamień, ciska go w pierś swej nielitościwej oblubienicy z rozdzierającym okrzykiem:

> Tyś pchła, tyś pchła
> Mnie do miłości tej!

To mimowolne skojarzenie pchły z pchnięciem miało jakiś niesamowity urok. Jest to moja ulubiona apostrofa miłosna. Żadna kobieta nie oprze się rozpaczliwemu temu okrzykowi.

Wyborni to musieli być poeci, którzy takie śliczne wymyślali wiersze; bo to i rzewne, i albo ma podwójne znaczenie, albo też tak wiersze były kunsztownie splątane, że nigdy nie można było dojść, co w tych cudownych girlandach się ukrywa, albo też rymy strzelały trudne, wspaniałe, nieoczekiwane – jednym słowem rozkosz dla ucha. W *Żydówce* na ten przykład naczelnik straży oskarżał przed Kardynałem Eleazara w tych słowach mocnych:

> Przed chwilą tam żelazo kuł,
> A teraz ogląda kościół!

Wiele bezsennych nocy strawiłem nad rozplątaniem przedziwnych wierszów z *Aidy*. Oto w trzeciej odsłonie alty wiodą następujący dyskurs z sopranami:

> I któż wśród hymnów szczerej czci?

– zapytują soprany.

Szczerej czci!
– zdumiały się alty.
Wznosi do chwały lot?
Do chwały lot?
Alty są jeszcze bardziej zdumione, a soprany na to:
Jak wojny bóg, jak wojny bóg,
Jak barw słonecznych splot!
Ach, cudowne!
Carmen, oburzona, śpiewa z goryczą:
Przywdziałam świetny strój,
Nie szczędząc rąk i nóg,
Byś to podziwiać mógł!
Ileż w tym poświęcenia! Ta kobieta ręce i nogi zarobiła – po łokcie,
a taki dryblas don José tego nie zauważył.
Z tej samej poetyckiej szkoły pochodzi przekład *Cavalerii* i *Butterfly*.
Wstęp chóralny do *Cavalerii* jest bez konkurencji:
Kwiat pomarańczy lśni,
Tam na zielonym tle
Słychać słowików śpiew,
Dzielny ten śpie-ew!
A kiedy Butterfly pokazuje Pinkertonowi swoje rodzinne pamiątki,
dialog, pełen słodyczy, brzmi tak:
A te figurki? Cóż się z nimi stanie?
To dusze moich przodków!
– Ach, uszanowanie!

Do tej szkoły szczytnej i niezmiernie oryginalnej wtargnęło w owych
czasach kilku zirytowanych poetów, wśród nich, niesłusznie zapomniany
poeta pierwszorzędny, Aureli Urbański, który przekładał teksty do Offenbacha i innych operetek, godnych ludzkiego przekładu i poetyckiego języka. Zrobiło się trochę lepiej, ale nie bardzo, bo tamtych zwariowanych
tłumaczeń było więcej. Podziw dziś we mnie to jedno tylko budzi, jak
człowiek, słuchając po dwadzieścia razy tych bredni, nie dostał jednak
kołowaczny i zachował ludzki sposób wyrażania się. Pewnie dlatego, że
zwracaliśmy uwagę, weseli psotnicy, przede wszystkim na humor i biegli-
śmy za nim, nie zwracając uwagi na resztę.
Operetkę lubiliśmy bardzo dlatego także, że nie wolno było na nią
chodzić i żak, przyłapany w teatrze, byłby wylany ze szkoły. Obchodziło
to właściwie tylko księdza, co wielkim nie było niebezpieczeństwem, mało
to bowiem było prawdopodobne, aby świątobliwy człowiek łaził na gale-

rię na operetkowe przedstawienia, aby wyłapywać zgubione dusze. Były to zaś czasy, kiedy szczytem rozwiązłości była *Piękna Helena*. O tej ślicznej operetce krążyły legendy; poczciwe białogłowy opowiadały sobie na ucho, czyniąc znak krzyża, że aktorka grająca Helenę podobno na jeden moment pokazuje – piersi. O, poczciwe białogłowy, o czasy wy poczciwe! Z rozczuleniem wspominam sobie te chwile piekielnego zgorszenia, kiedy dziś widzę, jak na scenie pokazują ci nie tylko wszystkie piersi, ale i co się da. Na roześmiane nasze bractwo z galerii padł jednego wieczora cień.

Mieliśmy w operetce swoich ulubieńców, więc przede wszystkim pierwszego komika, który urządzał kawały i lokalizował wszystko greckie, tyrolskie, wiedeńskie czy japońskie, i przerabiał na lwowski styl, czym dusze lwowskie doprowadzał do upojenia. Oczkiem w głowie nas wszystkich była jednak primadonna. Kochaliśmy się w niej wszyscy na zabój, aktoreczka zaś była bardzo sprytna, bo znając dobrze wybuchowy temperament i niezwalczoną potęgę galerii, „trzymała" z nami; stale, wywoływana po dwadzieścia razy, przesyłała nam ręką całusy, któreśmy chwytali roześmianymi oczyma. Biada teatrowi, który by chciał jej wyrządzić krzywdę; teatr o tym prawdopodobnie ani myślał, ale na wszelki wypadek wiedzieliśmy jedno, że gdyby tak było, to zawalimy galerię. Aktorce tej służyło uczciwie i poczciwie kilkaset serc, pełnych rzewnej dla niej miłości; entuzjazm nasz dostawał czasem nagłego pomieszania zmysłów, ponieważ jednak kochaliśmy się wszyscy bez wyjątku, więc zespoleni uczuciem tej straszliwej miłości, dawaliśmy jej wyraz zgodny i potężnie wrzaskliwy. Jeden pracował dla drugiego, a wszyscy dla wszystkich, pracując klaskaniem tak, że ręce puchły.

I było dobrze.

Z uśmiechem politowania wyczytaliśmy dnia jednego, że wystąpi nowa primadonna. Trochę z politowaniem, a trochę z irytacją, wydawało się nam bowiem nieco obelżywym, że teatr zapowiada nową primadonnę bez porozumienia się z nami. A nam po co nowa primadonna? Mamy swoją i koniec. I jeśli ta nowa, pewnie jeszcze zielona, zechce tamtej „naszej" robić jakie wstręty, to lepiej, aby się była nie rodziła.

W wielkim podnieceniu zatłoczyliśmy galerię owego wieczora, kiedy się rodziła nowa primadonna. W powietrzu była elektryczność, a źli chłopcy, krzywdy cudzej niepomni, mieli tylko jedno tajone pragnienie, aby się ta nowa „sypnęła".

Dech nam zaparło, kiedy się ukazała. Chude niewieście ciało z bardzo przyjemnie uśmiechniętą gębą. Tremę ma, nie daj Boże. W sercach naszych, w gruncie poczciwych, zaczyna się mieszać odrobina współczucia ze zgrozą. Nikt tego jednak po sobie nie pokazał, czekają wszyscy, jak tam będzie z głosem.

O, co to jest? Głos srebrzysty, dźwięczny i miły. Na galerii poruszenie, bo galeria jest sprawiedliwa; będzie stroić dla utrzymania konsekwencji przez czas niejaki rozmaite małpie miny, ale niesprawiedliwej krzywdy nikomu nie wyrządzi. Galeria jednak jest pełna rezerwy i nie wydaje sądów pośpiesznych, dlatego po pierwszym akcie parter bardzo żywo klaszcze, a galeria skąpo.

„Nasza" primadonna, niewiasta zawsze słodko na fizjognomii uśmiechnięta, ale w przepaścistej aktorskiej duszy zapewne bardzo chytra, rozgrywa wielką grę; nagle zjawia się w antrakcie w aktorskiej loży i patrzy słodkim wzrokiem ku galerii. Och! Galeria czyta w tym spojrzeniu: „Drogie chłopaki, czy mnie zdradzicie?" – Jako żywo, nie! Nagle zrywa się tajfun i wprawia cały teatr w popłoch; to straszliwa owacja na cześć bezrobotnej primadonny, która posyła nam całusa i sprowokowawszy hecę, znika z loży. Ale co to biedactwo, ta nowa musiała przecierpieć za kulisami, o tym żaden bęcwał, żaden matoł nie pomyślał. Bóg ją jednak dziwnie nagrodził, odebrawszy nam rozum i pomieszawszy języki nasze. Po trzecim akcie nie wiadomo dlaczego, nie wiadomo skąd nastąpiła na galerii nagła zmiana; połowa galerii wyła na cześć dawnej, a druga połowa, upodobawszy sobie nową śpiewaczkę, rzuciła bez ceremonii w proch dawne sentymenty i na burzliwym wrzasku, jak na wichrze, wyniosła nowe bóstwo pod niebiosy. Harmider się zrobił niebywały i z porządnej dotąd galerii jeden wielki się uczynił kryminał. Chłopaki skakały sobie do oczu jak koguty, tupały, grzmiały i wyły. Musiało się to podniecenie udzielić i dystyngowanej części teatru, bo i na parterze był wcale miły wrzask i klaskanie.

Był to smutny początek wojny smętnej, bratobójczej i długotrwałej. Zgoda umarła. My mieliśmy swoje bóstwo, inne bałwochwalcy miały swoje; to jedna, to druga donna ukazywały się w pustej loży, aby wywoływać na swoją część harmider; ponieważ dość trudno jest walczyć wrzaskiem, bo wrzask, nie mogąc przeciwnikowi podbić oka albo wyrwać garści włosów z czupryny, był bronią mizerną, więc po daremnej walce na wytrzymałość płuc, ciskał się jeden zwierzak na drugiego, chcąc mu wybić z serca, sądząc zaś po kierunku uderzeń, z głowy przede wszystkim, „jego" primadonnę, aby tam uczynić miejsce dla swojej. Ponieważ przeciwnik miał ten sam zamiar, kończyło się na tym, że po kilku tygodniach można było wydartymi z młodych łbów włosami wypychać materace dla połowy miasta. Doszło do tego, że obie, zapewne mocno nawzajem kochające się panie, przestały się zjawiać w loży, bo im pewnie zabroniono. Nie można nieopatrznie drażnić ludu, bo łatwo było o rewolucję.

Homeryckie te boje w antraktach były jednak tylko próbą generalną do bojów rozstrzygających w tych dniach, kiedy obie śpiewaczki występowały razem w tej samej operetce. Ach, co te miłe baby wyprawiały, aby sobie nas zdobyć! Podjudzały nas uśmiechami, „robieniem oka" w naszą stronę, a my – małpy niemądre – dostawaliśmy konwulsji z rozczulenia i z entuzjazmu i każdy wył, jak obdzierany ze skóry, na cześć swego bóstwa. Właściwie to ja nie rozumiem, jak uczciwi ludzie mogli w tym teatrze wytrzymać; nie każdy wiedział, że między sceną a galerią snuje się głęboka tajemnica, więc się musiał taki mocno dziwić temu, co się dzieje, a co dość żywo przypominało koniec świata.

Nierzadko wojna zaczęta w teatrze przenosiła się potem na schody, potem na ulicę i czasem, aby się człowiekowi lepiej spało albo żeby mógł sobie poświecić świeczkami z oczu w drodze do domu, dostał ci ten człowiek srogie uderzenie po imitacji głowy w imieniu dawnej lub też nowej primadonny, zależnie od tego, do którego należał stronnictwa, zależnie od tego, czyim był rycerzem. Cierpiało się w każdym razie dla idei; jedna idea była bardzo chuda i miała nieco za długie nogi, druga była przysadkowata i miała nogi zbyt krótkie. Idee wyglądają rozmaicie.

Pierzchnął spokój z Olimpu, bo bogowie zaczęli się wodzić za łby. Z czasem byłaby się ta wojna stała nudną, bo wszyscy mieli już naderwane płuca i ręce na nic zbite i już się nikomu nie chciało zbytnio wojować, gdyby tylko był możliwy jakiś polityczny rozejm, który obie strony mogły przyjąć, nie narażając na szwank honoru i ambicji. My bylibyśmy się może pogodzili, tylko że nasze bóstwa, na scenie uśmiechnięte, a drapieżne za kulisami, wcale tego nie pragnęły. One miały z tej wojny czysty zysk; my chodziliśmy pochmurni, a one promieniały i jeśli się lewej stronie galerii udało nieco pognębić wrzaskiem stronę prawą, zawsze któraś z nich miała przyjemną chwilę w swoim pudrowanym życiu. W nas zaś kisło serce, zdarzało się bowiem, że z nakazu uczuć wyższych rwała się najlepsza przyjaźń, bo kolega z tej samej szkolnej ławy był giermkiem „tamtej", a ty byłeś giermkiem „tej", trudno więc było dojść do porozumienia we wszystkich dziedzinach żakowskiego żywota. Rozjątrzenie doprowadzało do tak potwornej zbrodni, że rycerz chudej i długiej odmówił – o, zgrozo! – pozwolenia rycerzowi pękatej na odpisanie rachunkowego, bardzo trudnego zadania.

Trwoga padła na młode serca ne widok takiej nieprawdopodobnej ohydy. Czuliśmy, że nas zgubią te piękne kobiety, i drżeliśmy, aby się tak nie stało. Zaczęliśmy coraz częściej gadać z miałkim naszym rozumem, który, uradowany chęcią zakończenia wojny, tłumaczył nam jak umiał, że się źle bawimy.

Rozum mówił nam:

– Czyście poszaleli? Czyście się napili blekotu? Czy nie wiecie, że wszystkie największe nieszczęścia świata stąd pochodzą, że diabeł zawsze gdzieś posieje kobietę-demona? Już nawet nie mówiąc o nieszczęściach tak przeraźliwych, jak wojna trojańska lub awantura o Kleopatrę. Spójrzcie jednak dokoła siebie, wszak nieszczęście ryczy z bólu tuż obok was, na odległość ręki! Czemuż to profesor historii szaleje, dręczy nas, katuje, „wyrywa" najmniej przygotowanego i stawia pały? Bo jest zdenerwowany, zrozpaczony, wściekły, jędzowaty. A dlaczegóż jest zdenerwowany, zrozpaczony, wściekły i jędzowaty ten człowiek, który musze przedtem nie uczynił krzywdy? Bo się kocha! Kocha się w jakiejś pięknej lafiryndzie, która go nie chce, bo natura kobiety nie znosi historii. A my cierpimy przez tę kobietę. I sami szukamy nieszczęścia w teatrze! Chcemy sobie pourywać łby dla dwóch śpiewaczek, które dbają o nas mniej niż o dziurawą pończochę...

Tak mówił rozum, a gniewliwe serce na to:

– Niech tamten najpierw ustąpi i niech powie, że jego primadonna jest tyczka chmielowa.

Nikt nie chciał ustąpić, ale w każdym razie po takiej serdecznej rozmowie z rozumem zelżała zazwyczaj mocno napięta cięciwa łuku. Na galerii uczyniło się nieco ciszej i burza cichła powoli, powoli.

Aże ryknęła jak sto diabłów.

Mało im, w tym przeklętym teatrze, było dwóch śpiewaczek – sprawili sobie trzecią. Wpadła ona w burzliwy nasz żywioł jak meteor, jak bomba, jak czerwone szaleństwo; wybuchła na scenie jak petarda i odłamkami ugodziła każdego w serce; młoda, śniada, z czarnymi oczyma, żywa jak iskra, łobuz w spódnicy, śmignęła przez scenę jak burza.

„Obstupuerunt omnes..."*

Najpierw padło na nas wielkie zdumienie, a potem wybuchło szaleństwo jak gejzer. Z wyciem sankiulotów* strąciliśmy dawne bożyszcza z piedestałów do teatralnej rupieciarni i na wielkim wrzasku, jak na spiżowej tarczy, wynieśliśmy nową Astarte*.

Rewolucje nie bywają bezkrwawe; dwa bożyszcza wyłaziły ze skóry, aby odzyskać panowanie, a opętani ich rycerze z galerii, których uwielbienia żadna nowość zachwiać nie zdołała, narobili niesłychanego zgiełku. Zacna i dostojna galeria, podzielona na trzy straszliwie hałasujące

---

* „Obstupuerunt omnes..."(łac.) – wszyscy osłupieli.
* sankiuloci – w czasie Wielkiej Rewolucji Francuskiej członkowie stronnictwa radykalno-lewicowego.
* Astarte – bogini czczona w starożytnych miastach: Tyrze i Sydonie; tu: nowe bożyszcze.

obozy, przedstawiała widok okropny. Wojna rozgorzała potężna i wściekła; nowym transportem wyrwanych z gorących głów włosów można by obdarować łysych połowy ziemi.

Podrósłszy, przekazaliśmy przekleństwo walki młodszym i głupszym. Ci bili się dalej, a primadonny starzały się w ogniu walki.

Działo się to dwadzieścia pięć, sześć lat temu; dlatego nie wymieniłem słynnych nazwisk naszych bóstw, bo jedna z owych primadonn niedawno zaczęła rok dwudziesty dziewiąty. Musiało się biedactwo pomylić, bo wtedy, kiedy się w niej kochałem, stanowczo musiała mieć więcej niż ...trzy lata. A zresztą, Bóg ją wie! Może miała właśnie tyle i była tylko bardzo wyrośnięta? Kobieta wszystko potrafi. Zapytana o wiek publicznie na sądzie ostatecznym także coś sobie urwie z lat, licząc na to, że choć w niebie wszystko wiedzą, to jednak nawet i tam nikt nie docieknie tajemnicy wieku kobiety. Łatwiej liczyć gwiazdy niż lata kobiety. Może więc ta najmilsza śpiewająca donna ma naprawdę dwadzieścia dziewięć lat. Daj jej to, Panie Boże! Ale jeśli będzie za rok miała dwadzieścia osiem, to się zgniewam, mimo że dla niej cierpiałem i że mnie wiele razy za tę obłąkaną miłość pobito.

ROZDZIAŁ SIÓDMY

sztuka podpowiadania

Szkoła dlatego bardzo jest podobną do teatru, że tu i tam bez podpowiadania daleko się nie zajdzie. Toteż gdyby jakim cudem można było wykorzenić w szkole podpowiadanie, musiano by szkołę zamknąć, bo najbardziej mądry profesor nie dogadałby się z niemową i myślę, że nawet w szkole głuchoniemych w jakiś sposób muszą sobie podpowiadać na lekcjach.

Podpowiadanie jest instytucją dostojną, szanowną i tak starą, jak szkoła; nie ma człowieka, który by sam kiedyś nie podpowiadał i któremu nie podpowiadano, inaczej bowiem nikt by dotąd szkoły nie skończył i bardzo brodaci chodziliby do niej ludzie. Dla tej dobroczynnej instytucji mają niejaki szacunek i sami profesorowie, z tego prostego względu, że i oni kiedyś chodzili do budy; byle podpowiadać w miarę i niebezczelnie, na to właściwie godzi się machnięciem ręki każdy profesor.

Można podpowiadać i podpowiadać; to nie jest tak łatwo. Dobrego suflera w teatrze szanują wszyscy bardzo i cenią go niezmiernie, tak też i w szkole są podpowiadacze wytrawni, artyści w swoim niebezpiecznym fachu, ale są i fuszerzy obrzydliwi, niedźwiedzie, źle się przysługujący, albo też judasze podstępni, z miną z głupia frant, dobroduszną i obleśną, źle podpowiadający. Zdarza się to niebywale rzadko, ale jednak się zdarza. Są ci też maniacy, amatorowie wyborni, uprawiający sztukę dla sztuki, wrażliwi na niebezpieczeństwo, w którym się znalazł kolega, obrotni, mający konieczną do tego procederu zimną krew i w mig orientujący się w sytuacji. Są to zalety przedziwne i godne wielkiej chwały.

Najgorszy jest podpowiadacz niezdecydowany, chwiejny i trwożliwy. Podpowiadanie jest świętym obowiązkiem, obowiązku zaś nie należy spełniać niezgrabnie lub niezdarnie.

I podpowiadający, i „podpowiadany" muszą być zgrabni i robota ich w swoim synchronizmie musi być naprawdę precyzyjna. Nie można tylko stać bałwańską modą, trzeba podpowiadaczowi ułatwić zadanie, stworzyć mu sztucznie czas na znalezienie odpowiedniego ustępu w książce lub też na przyjęcie depeszowanej wiadomości z dalszych ławek, od jakiegoś wybitnego specjalisty w omawianym przedmiocie. Kiedy więc profesor „wyrywa" mnie niespodzianie, co ja czynię? Oto są spostrzeżenia z długiej praktyki naszych czasów.

Najpierw udaję, że nie słyszałem mego nazwiska. Tych kilka sekund potrzeba koniecznie, aby się podpowiadacz mógł zmobilizować i napiąć swoją uwagę, jak cięciwę łuku. Ponieważ profesor woła mnie po raz drugi, „klasa" robi mały rumor, aby mnie przywołać niby do życia. Wtedy wstaję bardzo raptownie, aby strącić z ławy jakąś książkę lub pióro. Zarabia się na podniesieniu dwie sekundy, ale o to idzie przecie, aby z czasu urwać jak najwięcej, a zawsze tam ziarnko do ziarnka, sekunda do sekundy, a zrobi się jakaś minutka, a minutka odwleka nieszczęście. Patrzę kątem oka, czy podpowiadacz w porządku?

– Gotów! – odpowiada mi jakiś ruch, którego byś nie dojrzał nawet pod mikroskopem, ale ja go widzę, bo mam wyostrzony wzrok i słuch, i czucie, zresztą znamy się wszyscy jak łyse konie.

Profesor zadaje pytanie. Jeśli jest bardzo trudne, trzeba udać matoła i powtarzając je, pomylić sens, tak, aby ci je postawiono po raz drugi. Potem powtórzyć je należy raz jeszcze, już prawidłowo, i broń Boże nie należy robić takiej sztuki po raz trzeci, bo to w czujnym mistrzu profesorze zaczyna budzić nagłe podejrzenia.

Z radosnym okrzykiem: „Aha! Już rozumiem!" trzeba się uśmiechnąć, co niby ma znaczyć, że ci pan profesor uczynił nadzwyczajną, nigdy nie oczekiwaną przyjemność, stawiając ci to pytanie, niesamowicie trudne; dajesz tym uśmiechem do poznania, że na nie wybornie odpowiesz. Wydobycie tego uśmiechu na przerażoną twarz jest cokolwiek szataniczne, bo właśnie drżą pod tobą nogi, szczękają zęby i na czole wyrastają ci krople potu, jakby ci ugotowali nagle mózg i mózg parował. Biedny człowiek jest w tej chwili podobny do uśmiechniętego nieboszczyka, któremu na sądzie boskim udowadniają, że był urwipołciem.

Podpowiadacz albo sam umie odpowiedzieć na pytanie, albo już otworzył książkę w odpowiednim miejscu i tak ją ustawił, że patrząc wprost w twarz profesora, możesz jakąś niesłychaną ekwilibrystyczną sztuką oka rzecz odczytać, albo gdzieś z szóstej ławy do trzeciej, gdzie ty stoisz właśnie na mękach, przypłynęła szeptem słodkim fala mądrości.

Podpowiadacz, mistrz w swoim fachu, nie denerwuje ciebie powolnym, uciążliwym cedzeniem słów z ciągłymi po drodze przestankami, bo wtedy zaczynasz się jąkać, wyrywać słowa z widocznym trudem i przestajesz myśleć, zawieszony na języku podpowiadacza, tracisz wątek i nie możesz chwycić sensu za ogon. Podpowiadacz mistrz patrzy też prosto na profesora, czujny na każde jego spojrzenie, i nie poruszając ustami, niemal jak brzuchomówca rzuca ci przedziwnym szeptem od razu krótkie zdanie, ale pełne treści; podpowiadacz nie może się marnować na budowanie stylowe odpowiedzi, on ci daje tylko materiał, cegłę i wapno, a ty buduj sam.

Na żywym przykładzie wygląda to tak:

Profesor zadaje pytanie:

– Kiedy i w jaki sposób przestało istnieć cesarstwo zachodniorzymskie?

Podpowiadacz ciska ci szeptem w mózg:

– Atylla śmierć 453, Hunowie do cholery. Nie ma. Rzym jeszcze dziesięć cesarzów. 476 Odoaker wali ostatniego. Cesarstwo szlus! 493 Teodoryk gocki król.

Daty podpowiedzą ci po raz drugi w miejscach odpowiednich, z tego zaś materiału już można zrobić mały romans na pięć minut: trzeba naturalnie wiedzieć, że Atylla nie był papieżem, a Odoaker, że to nie jest pasta do zębów. Mówisz wtedy powoli i strojnie:

– Ponury Atylla, który poczynił takie spustoszenie, że to nawet weszło w przysłowie, zakończył wreszcie życie, pełne krwi, pożarów i grozy i cały świat ze zrozumiałą radością odetchnął, kiedy to w roku 453 potworna dusza tego historycznego zbrodniarza odeszła.

– Fakty! Fakty! – przerywa katedra.

– W tej chwili, proszę pana psora! – mówisz z wdziękiem i podniósłszy głos, jakbyś dopiero teraz przystępował do właściwej sprawy, bredzisz dalej o dziesięciu cesarzach, o niegodnym Odoakerze i żalić się poczniesz wreszcie, jak ptaszek, nad śmiercią zachodniego cesarstwa; chociaż ci daty podpowiadają wyraźnie, nigdy ich nie wypowiadaj łatwo, tylko ich niby szukaj w głowie z niemałym trudem, co ma znaczyć, że kombinujesz je z faktów historycznych i wyławiasz w całym morzu najrozmaitszych dat, które masz w głowie. Dobrze jest nawet datę pomylić o rok, a zaraz się poprawić z uśmiechem politowania nad samym sobą, że się w ogóle mogłeś pomylić!

Jest to jednak przykład łatwy i nie budzący należytej grozy. Dobry podpowiadacz z takiej małej opresji wyratuje cię zawsze bez wielkiego niebezpieczeństwa. Może się jednak zdarzyć katastrofa, że profesor, zamiast siedzieć za katedrą, gdzie jest jego miejsce, zaczyna się włóczyć po całej klasie, na co stanowczo minister oświaty nie powinien pozwolić, gdyż to zupełnie wywraca naturalny porządek rzeczy i niemalże uniemożliwia wszelkie podpowiadania, w każdym zaś razie zmusza do nadzwyczajnych wysiłków i tak już bardzo prześladowanych męczenników nauki. W takim tragicznym wypadku bierze udział solidarnie cała klasa i przeżywa z tobą męki nieznośne i myśli latają jak błyskawice, szukając wyjścia z matni i szukając na gwałt sposobu, w jaki by można wyratować nieszczęsnego bęcwała? Więc daty pokażą ci na palcach, nazwiska zaś ktoś ci wygaduje, ale bez głosu, tak jak głuchoniemy, ty zaś musisz ze składu ust poznać Atyllę i odróżnić go od Odoakera, aby jednemu z nich nie przypiąć śmierci drugiego i nie pomieszać nieboszczyków.

Najtrudniej wtedy o wątek, o tę odrobinę wapna, którą trzeba do kupy zlepić romans. Potrzebna jest do tego malutka okruszyna czasu, byleby tylko na dwa mrugnięcia oka odwrócić uwagę stojącego tuż przy tobie profesora. Jest na to tylko jeden sposób: poświęcenie; któryś z przyjaciół musi się poświęcić, albo sam, albo do spółki. Kiedy już widzą, że nie dasz rady i nie wybrniesz z trzęsawiska, bo się bardziej za chwilę zapadniesz, wtedy za plecami profesora jeden twój przyjaciel musi walnąć w kark drugiego twego przyjaciela, żeby zagrzmiało, a ten drugi musi zrobić wielki, nagły wrzask. Dziewięciu na dziesięciu profesorów odwróci się i popędzi do gniazda awantury, i zanim zdoła zapytać, co się stało, i otrzymać odpowiedź, już zdołałeś nabyć wielkiej mądrości i czekasz, rozpromieniony, powrotu profesora. Sztuka taka jednakże, dzielna i heroiczna, nie udaje się zawsze; jest ona niemal niezawodna, cóż z tego, kiedy Pan Bóg stworzy czasem i chytrego profesora; zdarzy się taki wyga, którego na plewy sztucznej, teatralnej awantury nikt nabrać nie potrafi; jeśli straszny taki człowiek stanie tuż przy tobie, może się nawet sufit zawalić, a on ani drgnie, bo wie, co to znaczy. Uśmiecha się tylko drwiąco, bo wie, że dwóch srok od razu za ogon nie schwyta, więc najpierw chce zakatrupić jedną, to jest ciebie – o, nieszczęsny! – a dopiero kiedy ci postawi pałę i machnie na ciebie ręką, wtedy dopiero idzie robić śledztwo do poświęcających się bohaterów. Zwykle tam już nic zdziałać nie potrafi, czym się jednak nie bardzo martwi: wystarcza mu jedna, o, jakże niewinna ofiara!

Jeśli taki profesor, mający zły i nieludzki zwyczaj stawania tuż przy delikwencie, jest bardzo nerwowy, natenczas nie należy dla odwrócenia jego uwagi używać metod brutalnych i wrzaskliwych, bo go to może doprowadzić, do furii i wtedy wyłapie bohaterów, a i tobie da pałę na wszelki wypadek. Z takim to trzeba delikatnie i bardzo pomysłowo, łajdactwo musi mieć jakie takie maniery i wtedy czasem się uda. Są dwa dobre sposoby na odwrócenie jego uwagi; jednym jest zręczne ciśnięcie dość twardego przedmiotu w szybę okna, aby się zdawało, że ktoś w nią z zewnątrz cisnął kamieniem, a wtedy przyjaciele, najbliżej okna siedzący, muszą się zerwać jak piorun i pobiec do okna, czyniąc małe zamieszanie. Profesor musi odwrócić głowę na chwilę potrzebną do otwarcia okna, aby ujrzeć, co się dzieje?

– Co się stało? – pyta on.

– To nic, proszę pana profesora – to widocznie wróbel...

– Dobrze, dobrze, zamykajcie okno!

– Już, proszę pana profesora!

Pewnie, że – już, bo więcej nie potrzeba.

Drugi sposób polega również na igraszce ze słuchem; w chwili niebezpiecznej ktoś najbliżej drzwi siedzący stuka tak palcem w ławkę, aby się to wydawało pukaniem do drzwi. Raz, potem drugi, potem trzeci raz, już niecierpliwie. Jeden z przyjaciół zrywa się i podbiega do drzwi; profesor patrzy w ich stronę, bo a nuż sam dyrektor puka?

– No i któż tam? – pyta profesor.

Wierny przyjaciel wychodzi na korytarz, przez chwilę go nie ma, a kiedy wraca, mówi zdumiony:

– Nikogo nie ma...

– Więc któż pukał?

– To widocznie ci z czwartej klasy, oni nam zawsze robią takie hece.

Wszyscy podnoszą cichy okrzyk zgrozy, że ktoś nam śmie przeszkadzać w gorączce pracy, którą uwielbiamy, tak że nie chcielibyśmy stracić ani chwili.

Profesora, starego wygi, który zna wszystkie, najbardziej genialne sztuczki, na te też nikt nie nabierze. Taki profesor jest przekleństwem rodu ludzkiego i zakałą nauki. Jak tak można nie mieć serca ani nerwów? Całe szczęście, że natura czyni wszystko, aby się tacy rodzili jak najrzadziej, mądra natura, która by chciała utrzymać młode pokolenie w stanie bałwanowatej prostoty. Z mojej praktyki znałem tylko dwóch takich potworów, a jednym z nich był mądry bardzo ksiądz, który nas nauczał rzeczy najmniej potrzebnej na świecie: logiki! Straszny to jest przedmiot, bo i do podpowiadania trudny, i nie można w nim koloryzować, jak o Atylli, tylko trzeba gadać ściśle, używając terminów rzadkich, tak że z daleka z samego składu ust twojego przyjaciela w żaden sposób odczytać ich nie można.

Ponieważ w naturze musi być zachowana równowaga, więc wybujałość jednego nieszczęsnego żywiołu miarkuje drugi żywioł łagodny. Jakoś tak zawsze się dzieje, że jeśli profesor greki jest upiorem, to profesor matematyki jest barankiem łagodnym, albo też na odwrót, albo w jakiejś innej kombinacji. Człowiek taki poczciwy szczęśliwy jest i nieszczęśliwy jednako: jeśli wielka miłość młodych pustaków, mimo psich figlów, chłopaków strasznie serdecznych, może być jakim takim szczęściem, natenczas bardzo jest szczęśliwy mąż taki. Nieszczęściem jednak jest miękkość serca, bo mu w nią włażą żaki utrapione i tak umiejętnie na swój sposób je wyprawiają, jak rękawiczkę, że podziw zbiera.

Nikt nie ma oczu bystrzejszych, nikt się szybciej nie wwierci spojrzeniem przenikliwym w duszę ludzką, jak taki mały ryś, taki żak utrapiony, biada człowiekowi, który ma choćby najmniejszy pryszczyk śmieszności;

ten drobny lud Banderlogu, te małpy do igraszki skore, wynajdą go w największym ukryciu i z jakąś serdeczną bezlitością będą się z niego naigrawały. Nowego profesora obserwuje się pilnie i bacznie, i żeby nie wiedzieć jak się maskował, po dniach kilku każdy zna go na wylot i zna go nieomylnie. Profesor grzmi, że tynk leci z powały, a klasa, uśmiechając się, powtarza sobie w duszy:
– Krzycz zdrów, jeśli ci to sprawia przyjemność. Morowy jesteś chłop i dobry!
Takiego to się nawet mniej oszukuje, bo go szkoda, bo jest biedaczysko bezradny jak dziecko wobec geniusza „klasy". Ponieważ go się kocha, więc się „klasa" stara uczyć pilniej dla niego, aby on nie miał przykrości od swojej władzy. Figle i łajdactwa urządza się w miarę, tylko tyle, by nie zgnuśnieć i by wisielczy humor miał jednak jaką taką reprezentację.
Zdarzył się nam raz profesor, taki poczwina, że „z początku porwał nas śmiech pusty". Zauważyliśmy w mig, że zacna dusza tego profesora należy do gaduły; straszliwie lubił słuchać plotek, historii najrozmaitszych, opowieści szkolnych. Ho, ho! Jak on jest taki, to jest już nasz! – Gdy się zbliża godzina jego wykładu, w klasie robi się mały raut towarzyski; trwoga, stały mieszkaniec klasy, szła spać za piec na tę godzinę, aby zaraz po niej powrócić z jadowitszym jeszcze niż wprzódy uśmiechem i zasiąść z trzaskiem za katedrą. Zjawiał się profesor poczciwiec; wielki hałas radości i śmiechu srebrnego witał go już od drzwi. On się marszczył groźnie i naburmuszony z hałasem otwierał katalog.
Patrzyliśmy z wesołym politowaniem na te jowiszowe miny, bo do czego to właściwie podobne? – po co te wykrzywiania się i groźne zmarszczki, kiedy i tak nic z tego nie będzie? – Pytam – po co?
Robiła się więc cisza jak makiem siał, niby żeby mu pokazać, jak on nas okropnie swoimi minami poraził i serce nasze śmiertelnym lękiem napoił. O! Przeto on, nieco zdumiony takim wspaniałym efektem, rozpogadzał twarz i uśmiechał się. My też. On jaśniej, my jeszcze jaśniej. Wszystko w porządku. Wobec tego zaczynała się towarzyska rozmowa.
– A gdzie Jędruś? – pyta on.
– Nie ma go dzisiaj! Siostra jego za mąż wychodzi.
– Nie może być? A za kogo?
– Za jednego, co ma dom!
– Ładny dom?
– Śliczny! Strasznie bogaty człowiek.
– A ona ładna?
– Pi, jedni mówią, że tak, drudzy, że nie. Pani profesorowa to ją pewnie zna?

I tak bez końca. Kiedy się zaś nadobna rozmowa zaczynała wyczerpywać i gasnąć z powodu braku oleju, ktoś wykrzykiwał ni stąd, ni zowąd:
– Proszę pana profesora! Ja byłem wczoraj na *Lohengrinie*!
– Co też mówisz? Ja się wybieram od dwóch lat. I jakżeż było?
Dialog ożywiał się nadzwyczajnie i zataczał coraz szersze kręgi.

Rzecz jasna, że wiele nas ten profesor nie nauczył, bo zanim wyczerpaliśmy sto jeden gotowych do odrobienia tematów, zawsze się odzywał serdeczny nasz wybawiciel, dzwonek szkolny. Godzina mijała jak z bicza trzasł ku obopólnemu zdumieniu, raczej ku wesołemu przerażeniu profesora, w którym w rytm dzwonka dzwoniło ponurym głosem uczciwe sumienie. Zrywał się jak opętany i miał tylko tyle czasu, aby na następną lekcję „zadać" jakiś tam ustęp do przygotowania.

Nadchodził jednak czas, kiedy zacny ten człowiek wpadał w furię; odbywało się to nieodmiennie na jakiś miesiąc przed wakacjami; mógł się zjawić inspektor, mogli chcieć skontrolować stan naszych umysłów, wiele – jednym słowem – zewsząd groziło niebezpieczeństw. Profesor tedy rwał z kopyta, dusił nas i napędzał, ale nigdy nie patrzył w naszą stronę, jakby się bał, biedaczysko, że jeśli spojrzy i ujrzy przemile uśmiechnięte, serdeczne nasze spojrzenia, to przepadł. Już i tak cierpiał widocznie, bo nie wiedział od nas, co się dzieje w teatrze, kogo zaangażowali, kto umarł, ani kto się narodził; nie wiedzieć, co się dzieje w czyim domu, kto się żeni, komu się co urodziło? Ha! To trudno... Jak nie można, to nie można.

I o dziwo! Chłopaki brały się do roboty jak furiaci i zawsze kończyło się dobrze. Zdarzało się, że zacny profesor sam podpowiadał, kiedy groziło niebezpieczeństwo i gdy jaka wysoka, groźna figura asystowała przy lekcji. Znaliśmy go do ostatniej komórki serca i byliśmy go pewni; on z nami postępował z dobrocią, my z nim bez wojny; wszystko było w porządku.

Wojnę jawną i zdecydowaną prowadziło się dość rzadko, bo profesor to jest armata, a żak jest wróblem, wynik wojny dość łatwy był do przewidzenia. Prowadziło się jednak czasem wojnę podjazdową, chytrą i uporczywą, wojnę z głupia frant, bez wypowiadania, bez żadnych ostentacyjnych deklaracji. Jeśli profesor był nazbyt złośliwy, a już – nie daj Boże! – niesprawiedliwie napastliwy, gnębił nas, ale że sobie przy tym z nieznacznym naszym przyczynieniem się na nic popsuł wątrobę, to też nie ulegało najmniejszej wątpliwości. On uważał nas za gromadę złośliwych wielbłądów, a my jego za tygrysa; on miał twarz ponurą i oczy wiecznie czujne, my uśmiechaliśmy się, niby bardzo zadowoleni, uśmiechem nie z tego świata. W takich wypadkach geniusz „klasy" wysilał się nieprawdopodobnie, wpadał na pomysły zgoła oszalałe. Żadnych drobnych sztuk i mizernych kawałów! Wojna wymaga determinacji. Jeden z moich kolegów cudownie umiał udawać omdlenie i tak, szelma, padał, nie ugiąwszy nawet kolana, jak akrobata. Ten kawał zachowany był na czarną godzinę, dla profesora, co z nami wojował. Dziwni to ludzie, ci profesorowie! Taki zły, to się naprawdę rzadko zdarzał, raz na kilka lat. Napsuł krwi nam i sobie i gdzieś przepadł. Większość tworzyli ludzie po stokroć zacni, pojący się ciągle u źródła młodości; a choć poważni, choć bardzo uczeni, uśmiechali się gdzieś tam w głębi mądrych swych dusz, patrząc na zwariowane, psie figle. Trzeba zaś było mieć świętą, anielską cierpliwość, aby wytrzymać z gromadą rozbrykanych rumaków bożych, z całym arsenałem dynamitowych nabojów, które o wybuch przyprawia byle iskra.

Najzacniejsi ludzie to są zawsze przyrodnicy; ma taki do czynienia całe życie ze zwierzakami, więc bez wielkiego trudu nas potrafił zrozumieć w każdym wypadku. Maniery tapira, zwierza ośłego rodzaju, albo leniwca ai-ai niewiele się różniły od naszych wybornych manier. Takiego przyrodnika nic nigdy nie potrafiło wyprowadzić z równowagi. Poleca on na przykład, aby żaki zbierały rozmaite kamienie co dziwniejsze i wszelakie minerały. Jak poleca, to pewnie wie, co robi. Na następnej lekcji stoi staruszek przy katedrze z małym młotkiem w dłoni, a „klasa" jeden po drugim pokazuje mu w wielkim trudzie znalezione „minerały". Właściwie to zamiast tym swoim młoteczkiem rozbijać każdy kamyczek i orzekać o jego wartości, powinien był na dobrą sprawę walić nim po łbie wszystkich nas z kolei. Przynieśliśmy mu wiele kilogramów kamieni, pozbieranych na najbliższej ulicy, wśród tego śmiecia były też okazy rzadkie i zupełnie nie znane w naturze, na przykład kamień niebieski. Rozbijał go młotkiem i mówił:

– Zwyczajny kamień zanurzony w niebieskim atramencie!

Na nic! Żeby się skrzywił, żeby wydarł z którejś czupryny choć dwa tysiące włosów – nic.

I znowu orzeka:

– Zwyczajna farbka do farbowania bielizny. Na nic!

– Zwyczajna cegła, wymoczona, zdaje się, w spirytusie, bo pachnie...

Na takie też pomysły zdobywały się potworne nasze dusze. Nim jednak trzydziesty z kolei pokazał swoje dziwo, swój słynny minerał, jakiego świat nie widział i nie zobaczy, mijała godzina i to był nieczysty zysk całego przedsięwzięcia.

Nie ma bardziej genialnych ludzi w kradzeniu czasu niż uczniaki; jak wiadomo, godzina szkolna jest co najmniej trzy razy tak długa, jak godzina zwyczajna, trzeba więc sposobów genialnych, aby ją skrócić o głowę i dwie nogi. Operacja taka udaje się najłatwiej na początku lekcji, bo pod jej koniec w atmosferze klasy panuje już zdenerwowanie, bo już była jakaś awantura i kogoś pognębiono. Trzeba tylko znać świetnie teren psychologiczny, a zawsze się uda.

Nieodmiennie jakiś kwadransik umieliśmy gładko urwać jednemu zacnemu profesorowi, który był maniakiem, chorym z urojenia. Zjawiał się czerstwy i zdrów i szybkim krokiem szedł do katedry, dobywał z kieszeni małą książeczkę, wynalazł jakieś nazwisko i zadawał pytanie. Zapytany nie odpowiadał, tylko wlepiał wielkie oczy w profesora, na gębę zaś naprowadzał wyraz tak wielkiej żałości, jakby mu serce pękało.

– Czego tak patrzysz, nie widziałeś mnie nigdy?

– Widziałem, proszę pana profesora, tylko...

– Tylko co?

– Tylko że pan profesor tak dzisiaj mizernie wygląda, że się stropiłem...

A jego jakby kto na sto koni wsadził, taki był szczęśliwy.

– Co też powiadasz? Naprawdę tak źle?

A wtedy cała banda chórem:

– Strasznie źle!

– Wyglądam na chorego?

– Bardzo, bardzo! Niech pan profesor pójdzie się położyć.

– Nie mogę, moi drodzy, nie mogę. Wiem, że się ledwie trzymam na nogach, ale obowiązek...

– Pan profesor musiał coś zjeść niedobrego, teraz strasznie wszędzie trują!

– Tak myślicie?

I szedł nieznacznie ku oknu, aby się przejrzeć w lustrze szyby. Musiał zobaczyć twarz rumianą, ale on widział bladą, żółtą, z odcieniem lekko niebieskawym.

Dusze w nas wywracały koziołki z radości, a on, już osłabły, zadawał pytania ot, tak sobie, słuchał odpowiedzi z roztargnieniem i był bardzo, bardzo łagodny, bo nie wypada przecież człowiekowi stojącemu nad otwartym grobem znęcać się, i to nad kim? – nad tymi, co go pożałowali, co zauważyli jego trupią bladość, nabrzmiałą śledzionę, zbiedzoną wątrobę i rozstrojony żołądek. Oni jedni to zauważyli, bo nikt poza tym.

My, swoim wspaniałym i mądrym współczuciem, pracowaliśmy nie tylko dla siebie, ale i dla następnych pokoleń, to znaczy dla następnej klasy, gdzie ten umierający profesor miał się udać po pauzie. Dawaliśmy tam znać szczegółowo, jaką na dziś postawiliśmy diagnozę, aby nie było pomyłki: więc bladość, nagłe drżenie rąk, mętny wzrok i chwytania się odruchowe za brzuch. Cud to jest prawdziwy, że taki nieborak nie umierał naprawdę po kilku godzinach, po jednomyślnym stwierdzeniu przez całe gimnazjum jego śmiertelnych dwudziestu kilku chorób.

Taki profesor, zacny gaduła, albo profesor, zacny maniak, to były jednak bardzo wyjątkowe okazje, mądrze zresztą przez nas wychowywane. Gdybyśmy byli mieli do czynienia tylko z takimi ludźmi, wielka i wzniosła sztuka podpowiadania byłaby już za naszych czasów do zupełnego przywiedziona upadku. Dla zachowania jednak wysokiego gatunku podpowiadaczy natura nasyłała na nas srogie gatunki, pobudzające, zmuszające do walki i przez to kształciła w nas i doskonaliła, jak zęby i pazury wilkom, wzrok, słuch, dotyk i ze trzydzieści jeszcze zmysłów, nie znanych dorosłej ludzkości. Spadali na nas jak jastrzębie lub sokoły na biedne, cichutkie i wielkiego współczucia godne pardwy profesorowie sumienni, groźni, chytrzy, wszelkie sztuki nasze na wylot znający.

Poradź tu z takim! Toteż geniusz klasy dokazywał cudów nieprawdopodobnych. Zbrodnicza inteligencja smyków dochodziła do wynalazków wspaniałych i godnych wielkiego uznania. Nikt nie mógł – wobec wroga tak groźnego, jakim jest sumienny profesor – pozostać sam bez przymierzy, nikt własnym siłom zaufać nie mógł. Bo zawsze w każdej klasie jeden jest taki ponury i ogólnie nie lubiany bohater, co zawsze wszystko umiał, zawsze wybornie był przygotowany i z tym wszystkim był zawsze na nic, nie mógł się bowiem przydać społeczności, dlatego po pierwsze, że był nieużyty i uważał – podobno nawet słusznie wedle Ojców Kościoła – że nie należy nikomu pomagać do szalbierstwa, a po drugie dlatego, że takiego zawsze sadzano na honorowym miejscu, w pierwszej ławie. Jest to pozycja zła do obrony i z góry stracona, bo podpowiada się najlepiej z tyłu. Pierwsza ława ma zbyt mało kontaktu ze społeczeństwem, stale potrzebującym pomocy.

Nie wynika z tego, abyśmy my, nygusy i teatralni maniacy, nie przykładali się do nauki albo wiele nie umieli. Ba! Nawet, przeciwnie, umieliśmy bardzo wiele, brak nam było tylko metody, suchej, choć podobno pożytecznej, szkolnej metody. Mądry profesor, który czytał w ludziach jak w książce, wiedział o tym doskonale, że ja, czy ten i ów, choć nie umiemy na każde pytanie odpowiedzieć po ludzku, jesteśmy jednak, mierząc inteligencję, mędrcami, Sokratesami wobec takiego, co na wszystko gładko odpowiadał, ale był poza tym ciemny w mózgu jak Buszmen i głupi jak but z lewej nogi. Mądry profesor matematyki wiedział dobrze, że nawet wzięty na męki, nie zdołam obliczyć trygonometrycznego jakiegoś paskudztwa, ale machał na to ręką, bo wiedział i to również, że umiem pisać wiersze i że Horacego umiem „na wyrywki". Nie wszyscy jednak mistrze mają takie wyborne pojęcia rzeczy, więc profesor logiki walił mi pałę za pałą, choć dość spojrzeć na moją zawsze uśmiechniętą, kaczą fizjognomię, aby wiedzieć dokładnie, że z logiką, niewiastą ponurą, szpetną i dziwnych rzeczy wymagającą, nigdy nie będę w zgodzie. Bystry człowiek powinien od razu rozpoznać wśród rozsądnych chłopców początkującego wariata.

Nie wszystkich profesorów zdumiewała nasza inteligencja, zaprawiona w teatrze, wyostrzona świetnie na czytaniu setek książek; byli tacy, którym mało imponowało to, że przerabiam Szekspira! Nie do uwierzenia, a jednak byli tacy... Ból mi kąsa serce!... Och!...

Widocznie tak musiało być, bo jednak to ludzie sprawiedliwi, ponieważ jednak i nam było miłe życie, trzeba było znaleźć jakąś radę. Jakoś tam, choćby cudami, trzeba było przejść z klasy do klasy, bo to i jeść nie było co, więc się trzeba było spieszyć ze szkołą, i mundurek świecił się jak lustro, i wreszcie każdy dryblas stawał się coraz większy.

Poczucie przemożnej siły wszelkiego rodzaju kooperatywy dość wcześnie się nam objawiło; sprzęgliśmy tedy wszystkie specjalne upodobania i wszystkie rozproszone talenty; szedł tedy swój do swego, ale nie po swoje, tylko po jego. W klasie, gdzie nabiera mądrości ze trzydziestu szympansów, uczących się, jak można zostać człowiekiem, zawsze się znajdzie jakiś wybitny specjalista, który – wedle kontraktu społecznego – obowiązany był ofiarować swoją uczoną specjalność społeczeństwu, a za to korzystał w równym i uczciwym podziale ze specjalności innych.

Był więc w klasie zawsze wybitny specjalista matematyk (zawsze mojżeszowego wyznania), specjalista chemik, fizyk, od literatury polskiej, od niemieckiej, od łaciny, od greki, ba! nawet od dogmatyki kościelnej (przypadkiem katolik). Każdy taki specjalista był instancją ostatnią i był źródłem; z niego tryskała mądrość na całą klasę, on puszczał w ruch sztafetę z odpowiedzią ustną, od niego się odpisywało wypracowanie piśmienne i dawało się dalej.

Należy wspomnieć, że zawsze, w każdej klasie, było też takie dziwo ludzkie, które nie było ani specjalistą, ani samo nie podpowiadało, ani też nikt temu dziwu nie podpowiadał, bo dziwo nie chciało. Był to taki honorowy straceniec, któremu kazali chodzić do szkoły, tylko on nie chciał. Na takiego nie było sposobu. Siedział w każdej klasie najmniej trzy lata, bo dłużej nie było wolno, tak że wreszcie, jako zatwardziałego, oddawano... do szkoły kadetów. Taki zawsze świetnie się bił, palił papierosy, pływał jak ryba, zawsze jadł i nic go nie obchodziło. Umiał plunąć na odległość pięciu metrów i był zawsze bardzo uczynny. Jeśli trzeba było pobić jakiegoś ananasa z wyższej klasy, ktoś z nas go zaczepiał i podjudzał, a nasz straceniec bił się i zwyciężał. Za mało miał inteligencji, aby słowami, kąśliwymi jak osy, doprowadzić wroga do szalonego kroku, ale mu potem podbijał oko z niezrównaną precyzją. Takiego wszyscy bardzo zawsze lubili, bo choć sam nie podpowiadał, umiał jednak zrobić hałas, wywrócić się z ławką, pomagał na wszystkie sposoby. Ciało jego siedziało na ławie, zawsze na ostatniej, a duch – jeśli miał ducha – krążył jak mewa nad rzeką i łowił ryby albo przełaził przez wysokie parkany do cudzych ogrodów i zrywał jabłka, również cudze.

Społeczność używała takiego do najrozmaitszych prac grubych, nigdy zaś do tak kruchych, jak podpowiadanie.

Kto nie miał ani swojej specjalności, ani wybitnego talentu, ten dla ogólnego dobra trudził się, jak Edison, wynalazkami, mającymi ułatwić żywot człowieka poczciwego. Miałem kolegę, najmilszego chłopca – słowo daję, że dziś jest specjalistą od radio! – który skonstruował przedziwne, magiczne lusterko i tak je jakoś naświetlał, że położone na nim malutkie, z papieru wycięte litery padały olbrzymim cieniem na ścianę, tuż za katedrą profesorską. Do dat historycznych szczególnie był to instrument niezrównany! Wiele zresztą innych oddało ono przysług znamienitych; ponieważ jednak chytrość ludzka odkryje w końcu najlepiej zamaskowaną baterię, odkryto i to zaczarowane lusterko. Zrozumiał wtedy zdumiony profesor, dlaczego od pewnego czasu każdy egzaminowany małpolud patrzył jak zachwycony lub urzeczony ponad jego głowę, w ścianę. Myślał, że to pewnie w pewnym wieku pomaga na rozbudzenie pamięci.

Skończyło się z biednym lusterkiem, więc zaraz wymyślono coś nowego.

Na którejś lekcji historii znów się zdumiał jej mistrz, że znany jeden wielki tępak recytuje daty, jak aktorka wiersze, ani się zająknie, tylko patrzy na tablicę. Spojrzał profesor podejrzliwie na tablicę i widzi tylko znaki algebraiczne, rozmaite pierwiastki, logarytmy, ułamki, sinusy i cosinusy, a wśród tego, rzecz prosta, parę liczb. Nic dziwnego, bo przedtem była godzina matematyki i nie starto z tablicy jakiegoś zwariowanego zadania.

Niedługo jednak trwała sztuka, bo i to wreszcie odkryto, że te liczby wplatane w iksy i ygreki do kwadratu, w sto znaków algebraicznych, to właśnie trudne do zapamiętania daty, a z porozrzucanych liter wtajemniczony łatwo składał imiona i nazwy miast.

Trzeba było przenieść źródło mądrości gdzie indziej. Wynalazek był śmiały i oparty na obserwacji Poego ze skradzionym dokumentem, którego szukano wszędzie, tylko nie tam, gdzie był umieszczony w miejscu najbardziej widocznym. Otóż kartę papieru z całą potrzebną mądrością przybito na profesorskiej katedrze. Trudna to była sztuka i opłacała się bardzo długo.

O dziwo! Jak cudownym instynktem obdarzone zwierzęta, klasa przeczuwała wszystko: były dnie, gdy nie robiono żadnych przygotowań, bo wiadomo było – nie wiadomo jak, skąd, czemu? – że dziś nikogo nie będą egzaminowali, że dziś pan profesor będzie wykładał. Nie mogło być pomyłki, zresztą nigdy się nie zdarzyła. Straszni ludzie są – młode małpy!

Z równą bystrością jak przeczuwano godzinę świętego spokoju, tak samo umiano niemal precyzyjnie obliczyć i zapowiedzieć z góry, kogo dziś pociągną do odpowiedzialności, ściśle mówiąc, kto dziś będzie egzaminowany.

– Dziś czterech na literę M i jeden na Z! – mówił znawca, wielki psycholog, wielki badacz natury ludzkiej i odkrywca jej zmechanizowanych aktów.

Rzadko się omylił! Obserwował długo metodę starego profesora rutynisty, który długie lata chodził tą samą ścieżką, święcie będąc przekonany, że nikt nie odgadnie, jakimi on ciśnie się na zwierzynę zygzakami. Wyrywał więc ze swego katalogu dziś trzy nazwiska na A i jedno na N, jutro dwa na B i jedno na O i tak jakoś metodycznie. Znawca umiał obliczyć, jak astronom, co zrobi chytry profesor, jeśli ma tylko jedno nazwisko na K i osiem na M – wszystko umiał obliczyć. Zawsze to łatwiej nie być napadniętym znienacka, więc taki ostrzeżony przez naszego astronoma czynił gorączkowe przygotowania i pisał szybko na kołnierzyku siedzącego przed nim przyjaciela wszystko, co było potrzebne w skróceniu do zbudowania potężnego gmachu odpowiedzi. Nie zawsze taki miał kołnierzyk albo jeśli miał, to w takim stanie, że nie czarnym na białym, lecz białym na czarnym należało pisać; w takich wypadkach wsuwało mu się kartkę za kołnierzyk, a on tylko przeginał lekko szyję, aby ułatwić czytanie.

Pisanie formuł algebraicznych czy fizycznych na mankietach było na ogół mało pożyteczne, bo zbyt widoczne; natomiast mikroskopijne znaki na paznokciach, oznaczające związki chemiczne, trudne do zapamiętania, były wynalazkiem dobrym, który miał wielkie wzięcie.

Obok tablicy wisiała zwykle wielka mapa Europy. Gdyby się jej przyjrzeć bliżej, ujrzałby zdumiony człowiek we Francji mnóstwo dat, w Niemczech bezlik formuł, na Belgii chemię, na Anglii fizykę; bystre oczy musiały to dojrzeć z odległości dwóch lub trzech kroków, nie dziw, że były czasem zapłakane. Na samej tablicy, czarno na czarnym, były małe znaki chemicznym uczynione ołówkiem. Na szybie, naprzeciwko, można było w odpowiednim jej, starannie wypróbowanym nachyleniu, ujrzeć jakieś kabalistyczne liczby, wilgotną napisane kredą. Na nosie buta, gdybyś głowę starannie i umiejętnie przechylił, mogłeś wyczytać rzeczy mądre i zajmujące. Imponujący jest wysiłek ducha ludzkiego! Gdyby się był uparł, to nie tylko na suficie byłyby ślady wielkiej nauki, lecz w brodę profesora byłaby wpięta kartka z datami, a na łysinie byłoby także coś napisane. I cóż z tego? Bywały takie wygi profesorskie, że nawet geniusz nie mógł im dać rady. Taki obejrzał wszystko dookoła, tablice i mapy, mankiety i paznokcie, dłoń i palce, wyrywał ci po kolei każdą broń, w wielkim trudzie wykutą w piecu ognistym przemyślności ludzkiej, i dopiero wtedy wystawiał cię na sztych. Taki miał słuch tak wyostrzony, że podpowiadacz, mistrz nad mistrze, cichszy niż szum skrzydeł muchy, wyłapany został zawsze, zanim dotarł do połowy zdania. O, biada! Biada! Biada! Nie mieliśmy dla takiego nienawiści – broń Panie Boże – tylko ponury, bezgraniczny podziw. To jednak była wielka sztuka złapać nas, właśnie nas. Trzeba było kochać takiego okropnego człowieka, bo... był nas godnym. Nas myślało czterdziestu, a on jeden odgadywał. To już potężnie – nie ma co! Takiemu należało się poddać bez wstydu i chwycić się ostateczności: wykuć lekcję. „Dura necessitas."*

Wszystkie te misterne i niemal magiczne sztuki mogły się przydać tylko w tych wypadkach, kiedy z zęba mamuta lub z żebra ichtiozaura, z drobiazgu, z pyłku, z ułamka można było natężeniem inteligencji zbudować szkielet, odtworzyć całość. Ciemno się jednak czyniło na duszy ludzkiemu źrebięciu, kiedy tego uczynić nie było można, kiedy trzeba było coś wiedzieć w całej pełni i w całej osnowie. Język kołowaciał i przysychał do podniebienia. Snadnie można nim było zaostrzyć ołówek. Gadaj na ten przykład na pamięć sto wierszy *Eneidy*. Gdzie jest człowiek, który to potrafi, i gdzie jest arcyczłowiek, który to potrafi podpowiedzieć?! Wyrzuć z siebie na ten przykład, i to do tego po niemiecku! – mowę Antoniusza nad zwłokami Cezara. Wielki Cezar sam rad by ci podpowiedzieć, ale nie może, bo jest umarły i do tego nie umie po niemiecku. Podpowiadacz dokazuje cudów, gada brzuchem, rękoma i nogami, łypie okiem, strzyże uchem; kilka wierszy urwałeś zachłannym okiem z książki, ale tylko kilka, bo już to widzą; kilka pamiętasz, przez kilka przelatujesz jak zwariowany koń, że słychać tylko tętent rytmów i jakiś bełkot słów. Chwytają cię jednak za uzdę i każą zawracać: gadaj jeszcze raz!

---

* „Dura necessitas"(łac.) – twarda konieczność.

Wielkie są to męki i nie do opisania. Jeśli tedy przeczyta te ponure wspomnienia młody żak, taka żaba zielona, jakimi my byliśmy kiedyś, niech wie, że znacznie lepszy interes, naprawdę, że lepszy – po prostu nauczyć się.

Sport jest sportem; trzeba umieć podpowiadać i umieć słuchać; sztuka podpowiadania nigdy nie zaginie, bo jest wielka, wzniosła i pełna niebezpieczeństw i poświęcenia.

Proste sposoby mają jednak także swój urok. Już tam lepiej się nauczyć.

Czemu myśmy tego nie robili?

Mój Boże! Wtedy nie było jeszcze skautów, tylko wesołe urwipołcie.

ROZDZIAŁ ÓSMY

miłość i sprzysiężenie

Chociaż w tym cielęcym wieku mieliśmy inne, poważniejsze niż miłość kłopoty, bo już sama wielka sprawa handlu markami pocztowymi znacznie była ważniejsza, bo niemal wszystkie gorące pochłania uczucia, jednak mieliśmy czas i na takie śmieszne bzdurstwa, jak miłość do kobiety. Wiedzieliśmy już wtedy, że miłość jest przekleństwem człowieka, przed którym nie ujdzie, rozumniej więc było nie walczyć z przeznaczeniem, lepiej poddać mu się od razu; po co łazić z wiecznie obolałym zębem, kiedy go można wyrwać. (Zęby wyrywało się w owym czasie sposobem domowym wprawdzie, lecz niezawodnym; owijało się ząb nicią, a drugi jej koniec uwiązywało do klamki u drzwi; przyjaciel otwierał nagle drzwi, a drzwi wyrywały ci ząb. Teraz wymyślono jakichś dentystów!)

Ja osobiście byłem w tych sprawach miłosnych dziwnie powściągliwy. W okresie od roku dziesiątego mego życia do piętnastego kochałem się – zawsze nieszczęśliwie – tylko sto siedemnaście razy, co było niczym w porównaniu z rekordową ilością miłosnych zaburzeń moich kolegów. Każdy wypadek wielkiej miłości notowało się w notesie, aby mieć przegląd ścisły i więcej nad trzy razy nie wracać sercem do tej samej osoby. Opisałem to w książce pt. *Awantury arabskie*.

Miłość budziła się zawsze na wiosnę, razem z chrabąszczami, i rzadko przetrwała wiek tych miłych stworzeń. Kiedy się zaczynał szczęśliwy okres łowienia ryb, zabaw indiańskich i kąpieli, furia miłosna słabła; ciepłota jej spadała jeszcze niżej w okresie dojrzewania owoców, bo kto tam ma czas na miłosne historie, kiedy trzeba obmyślać i wykonywać wielkie wyprawy na jabłka? Nawet kobieta powinna to pojąć, że są sprawy większe niż miłość.

Dziwnie te słabe stworzenia przywiązane są do miłości, dziwnie. Taka chyba nic innego nie robi, tylko się kocha albo płacze. Człowiek ma zmartwienia, musi walczyć w szkole i walczyć poza szkołą, musi pływać i urządzać napady indiańskie, musi handlować markami, musi przeczytać wszystkie książki, musi pisać wiersze, musi być przy każdym pożarze, musi się zabawić wreszcie, więc trzeba być obecnym przy każdym pogrzebie, musi chodzić do teatru, odprowadzać do koszar muzykę wojskową, musi być codziennie w stu miejscach – a taka pannica, cóż ona ma do roboty? Coś tam podłubie w kajecie, zaceruje pończochę, zasuszy kwiatek w książce do nabożeństwa i już po całej paradzie. Toteż nic dziwnego, że nieco lekceważąco odnosiliśmy się do kobiet.

Szewską zasię pasją mogła cię napełnić kobieta, która wiedziała, że jesteś w niej śmiertelnie zakochany; kobiety bowiem, same na miłość zachłanne, nie szanują miłości cudzej i mają dziwaczną manię wystawiania jej na nieustanne próby. Najbardziej bohaterskie, największego podziwu godne oznaki poświęcenia w imię miłości są dla nich tylko mizernym zadatkiem czegoś jeszcze wspanialszego. O, jakże mądrym był ten rycerz z *Rękawiczki* Szyllera, który cisnął rękawicę wyniesioną z lwiej klatki w twarz swej ukochanej. Gdyby który z nas miał był kiedy w owym wieku rękawiczki, musiałoby się często odgrywać scenę podobną.

Kochałem się jak szaleniec w Lince. Stworzenie było śliczne i bardzo czarne. Przysiągłem jej wieczystą miłość, bo miałem szczery zamiar uwielbiania jej przez jakie dwa, trzy tygodnie. Miłość była tak niezmierna, że czerwony, roześmiany na gębie, czyniłem nadzwyczajne wysiłki, aby zblednąć, co mi się nawet w pewnym stopniu udało, tak że każda kobieta byłaby zachwycona. Tak! Każda, ale nie to czarne cudowne półdiablę. Wszystkiego jej było za mało, bo wiedziała – o, przeklęta! – że chodziłem nad rzekę, wypatrując głębin, a koledzy moi powiedzieli jej, że chcę się utopić z miłości. Ja wprawdzie wypatrywałem ryb, ale przecież mogłem się też i utopić. Wszystko przecież jest możliwe. Ona już zdołała rozpowiedzieć w całym pensjonacie, że jest taki, co się dla niej z miłości dziś, jutro utopi. Ponieważ się nie utopiłem, więc naturalnie żal do mnie i pretensje, bo ona jest skompromitowana, bo ją naraziłem na wstyd, bo się z niej śmieją.

Chcąc nadrobić to małe zaniedbanie, w miłosnej furii i aby jej pokazać, że choć mam gębę małpy, jednak jestem zdolny do czynów bohaterskich, dokonałem dzieła trudnego, na które nie każdy byłby się ważył, choć go często próbowano: zjadłem na jej cześć przy świadkach litr czarnych czereśni razem z pestkami. Czyn ten, wspaniały i ujmujący, byłby zaimponował samej Kleopatrze. Słusznie więc oczekiwałem nagrody w formie uśmiechu albo radosnego zdumienia.

– Czy pani mnie uwielbia? – zapytałem drżący.

– Mam wrażenie, że nie! – odpowiada mi ona.

– Nie??? Czy pani wie, co ja dla pani zrobiłem?

– Nie zajmuję się drobnymi plotkami...

– Drobnymi plotkami? Proszę pani, czy pani wie?...

– Nie bardzo jestem ciekawa!

– Panno Linko! Ja zjadłem litr czereśni z pestkami!!!

– Ach, nadzwyczajne! A czy pan wie, co zrobił Leszek?

– Który Leszek?
– Ten w okularach.
– Gardzę nim!
– W takim razie gardzi pan bohaterem!
– Oj, zaraz bohater!
– A tak! – zawołała ona z blaskiem w głosie i z promieniem w spojrzeniu. – Leszek zjadł sztuczne kwiaty z mego kapelusza razem ze wstążką!...
Osłabłem! Tak, ten mandryl Leszek pokonał mnie w miłosnym szaleństwie. Leszek był młodszy i miał strawniejszy niźli ja żołądek, ale przecież i ja dokazałem nie byle czego. Gdybym był wiedział, byłbym może spróbował, ale on mnie ubiegł; dla większego efektu i aby go pobić, musiałbym z kolei zjeść kalosze panny Linki, ponieważ jednak miała ona lat dwanaście, więc nie był to drobiazg.

Pękło moje serce. Czułem, że mnie ogarnia melancholia, jak wilgotna noc i śmierć kładzie zimną siną rękę na moje oczy. Gdyby nie to, że nazajutrz miał być pogrzeb jednego pułkownika z muzyką i z wojskiem, byłbym się zabił. Całe to szczęście, bo za dwa dni, zapomniawszy tamtej niewdzięcznej – zakochałem się, tym razem śmiertelnie i na wieki, w jednej blondynce, siostrze mego kolegi, kobiecie słodkiej i dobrej. Mieliśmy oboje po lat trzynaście, więc dusze nasze były jakby dla siebie stworzone. Chodziłem pod jej oknami łapiąc się ręką za serce, miałem bowiem w kieszeni mundurka, właśnie na sercu, dziesięć żywych chrabąszczów, które robiły w kieszeni rozmaite hece i usiłowały wydostać się na wolność.

Potężna miłość moja rozpętała się jak burza w piorunach; zdawało mi się, że chyba śmierć nas rozłączy, ale i ona tego nie potrafi. A jednak minęła, minęła... To, że ta miłość wielka i nieśmiertelna, miłość, jakiej drugiej chyba nie było na świecie, umarła tak szybko, bo po tygodniu, nie było z mojej winy.

Porwany na skrzydłach tej nowej miłości w zaziemskie sfery, nie mogłem jej wyrazić w słowach szarych, w mizernych słowach wszystkich ludzi. Można ją było uwielbić tylko rymem, szalonym, pysznym, tęczowym rymem tnącym lazur jak szybki lot anioła, śpiewającym jak niebieskie chóry. O, jakież wspaniałe napisałem poezje, jak wspaniałe! Serce było moim kałamarzem, piórem słoneczny promień, słowa moje były wzięte spomiędzy gwiazd. To nie ja pisałem te wiersze: pisała je miłość, słodka, promienista, uśmiechem żywiąca się miłość...

Poczekajcie chwilę, bo serce moje płacze...

Jeszcze... jeszcze chwilę... Ostatnia łza... już!

Podrzuciłem jej te wiersze w podręczniku geometrii, który pożyczyłem od jej brata.

– Czytała pani? – pytam jej nazajutrz, a głos mój brzmi jak uderzony kryształ.

– Co?

– Moje wiersze... wiersze do pani...

– To pan pisze wiersze? Nie wiedziałam...

– Pani... tego... nie wiedziała?

Na Boga! Co to jest? Czy ona udaje, czy tylko mnie drażni; przecież najmniej w dziesięciu miastach muszą o tym wiedzieć, a ona nie wie?

– Nie wiedziałam! Ach, te bzdury, co były w geometrii?

– W geometrii były, ale nie bzdury...

Myślałem, że mnie krew zaleje. A ona zaczęła się śmiać, jakby nagle zwariował skowronek i zaczął ślicznym głosem śmiać się bez upamiętania.

– Ależ czytałam, czytałam! Śmiałyśmy się z Wandzią przez cały wieczór!...

– To to takie śmieszne? – pytał głos z mego grobu.

– Okropnie!

– Ha!

– Co panu jest?

– Nic. Myślałem, że ja chyba umiem napisać miłosny wiersz...

Ironia polała się z tego „ja", jak krew z zarżniętego cielęcia.

– Proszę pana – mówi ona ze zmarszczonym czołem – jeśli kto tak jak ja czytał miłosne wiersze Petrarki, tego byle co nie zdziwi... Wszystko dla mnie po tym jest śmieszne.

Petrarka? Zaraz, zaraz! Coś słyszałem, ale nie wiem z jakiego powodu. Nie śmiem się przyznać, że nie czytałem czegoś, co ona czytała, bo to się wydawało nieprawdopodobne, ale kobieta zawsze wynajdzie coś, czego nikt nie wynajdzie.

– Czy pani to ma?

– Proszę, mogę panu pożyczyć. To nie moje, więc niech pan odda...

Poszedłem nad rzekę i czytałem Petrarkę; zachłannie, szybko, z rozpaczą. Boże ty mój! I „to" ma być lepsze od moich wierszy? Nie! Skonam ze śmiechu. Coś w tym jest – pewnie, nawet zręcznie pisane, tu i ówdzie nawet wcale, wcale udane porównania...

Tak! Kobiety są nieobliczalne!

Zerwałem z nią bez litości. Niech płacze, jeśli taka mądra i jeśli poezje Petrarki są lepsze od moich.

Gdzież się podziejesz, serce nieszczęsne? Jedna każe jeść kwiaty; drugiej nie podobają się wiersze.

Poszedłem porozmawiać na ten temat z Tadzikiem, wielkim filozofem. Był to człowiek mądry i doświadczony i miał genialne pomysły. Kie-

dy raz udawał chorego, aby nie pójść do szkoły, zawezwali rodzice – ku jego wielkiemu przerażeniu – lekarza. Każdy symulant straciłby głowę, a on nie, tylko trochę postękuje. Każą mu pokazać język – pokazuje. Lekarz uśmiecha się, kręcąc głową. Potem mu daje termometr i powiada:
– Na co kawaler chory? Na matematykę? Niech no kawaler weźmie termometr pod pachę.

Tadzik stęknął i bierze termometr.

Lekarz i mama Tadzika czekają dziesięć minut: lekarz obojętnie, mama z niepokojem, bo lekarz zna dobrze takich śmiertelnie chorych, a mama uwielbia jedynaka. Po czym lekarz powiada:
– Już będzie chyba dość!

Tadek podaje mu spod kołdry termometr. Lekarz patrzy, pociera oczy, jeszcze raz patrzy, potem się słania, potem pada na krzesło, blady i z obłąkanymi oczyma. Mama czyni wrzawę.
– Ile? – woła mama.
– Zaraz! Zaraz! – jęczy lekarz – Muszę najpierw sprawdzić, czy nie oszalałem?

Mama chwyta termometr i ma również wrażenie, że za ćwierć minuty oszaleje. Na termometrze stoi najwyraźniej słupek rtęci na 42 stopniu i nie tylko stoi, ale najwyraźniej ma ochotę podnieść się wyżej i rozbić termometr.
– Tadziu! – woła mama rozpaczliwie.

Tadek naprawdę zbladł i jest mu nieprzyjemnie. Komu zresztą może być przyjemnie, jeśli ma czterdzieści dwa stopnie gorączki? Tadek jest najwidoczniej zawstydzony, słusznie zresztą, bo porządny człowiek umiera, kiedy ma 41 stopni, a on ma 42 i żyje. Więc się wstydzi, patrząc na wielki strach mamy i nie widząc, że go lekarz bystro obserwuje. A on robi pod kołdrą jakieś sztuki, jakby chciał stamtąd wypchnąć śmierć, co już po niego przyszła. Tymczasem lekarz chwyta nagle za róg kołdry i ściąga ją z nieboraka. Mama czyni wrzask, a spod kołdry wyskakuje wesoły pudel, ulubieniec Tadzika i powiernik jego do tego stopnia, że za niego „wziął" termometr pod pachę.

Oj, co to była za awantura!

Taki to był miły i mądry człowiek ten Tadzik. Byłoby mu się udało, tylko taki doktór zaraz musi być taki mądry i wiedzieć, jaką gorączkę może znieść człowiek!

Ten ci to mędrzec i filozof wyrażał się o kobietach niepochlebnie i wiele, wiele ciemnych rozświetlił mi punktów z kobiecej psychologii, chociaż właściwie był wyznawcą szkoły twierdzącej, że kobieta duszy nie ma, bo się boi wody, psa, papierosów, ognia i ciemnego pokoju. Jak nisko cenił kobiety, już to może być dowodem, że mi się pozwolił kochać w swej siostrze za markę Tasmanii, której mu brakło w zbiorze, uczciwie mnie jednak przestrzegając, że robię zły interes. Zosia bowiem jest kokietką, kokietką płochą i niestałą. W razie gdyby mnie spotkał zawód i rozczarowanie, obiecał zatruć jej życie i wpuszczać myszy do pokoju, ale pod warunkiem, że myszy miałem ja sam dostarczyć, u nich bowiem w domu nie było.

Kochać się, być zdradzonym i potem jeszcze łowić myszy – nie, to trochę za wiele jak na jedno umęczone serce, przeszedłem więc pogodnie nad jej zdradą i zakochałem się bardzo romantycznie, bo właśnie cyrk przyjechał, a z nim mała dziewczynka, biedna, brzydka i blada, która mile podskakiwała na koniu. Rzewnie kochałem to biedactwo, chociaż ona o tym nie wiedziała. Potem, znacznie później, zacząłem uwielbiać primadonny operetkowe, co mnie ostatecznie napełniło goryczą i wlało mi musztardy z octem w serce.

Wiara moja w miłość została zachwiana. Kochać się śmiertelnie sto siedemnaście razy, tyleż razy być blisko samobójstwa i sto siedemnaście razy być zdradzonym haniebnie, ponuro i z premedytacją, tego żadna wiara nie wytrzyma i nie wytrzyma żadne serce ludzkie. Nikt się też z kolegów moich nie dziwił, kiedy krwawym uśmiechem wykrzywiając twarz, choć serce we mnie wyło, napisałem wiersz pod tytułem: „Przeklęte bądźcie, o kobiety!”. Nikt się nie dziwił, każdy smutno kiwał głową, bo któż z nas nie cierpiał. I jaki z tego zysk? Staszkowi przepadły dwie książki, które z miłości pożyczył swej ulubionej, Romka sprali w domu, bo miał pojedynek o kobietę z Kazikiem, Jurek nie chciał jeść z miłości, bo taką wybrał formę samobójstwa, i przepadły mu, zanim się zdecydował na życie, całe jedne wielkanocne święta, głupi Mieczek wyrwał sobie przedni ząb, aby pokazać swej najdroższej, do jakiego stopnia ją kocha – każdy, jednym słowem, coś poświęcił, coś dał, a nie zyskał nic prócz wielkiej zdrady, bo panny prowadziły politykę rekordów i każda chciała mieć jak najwięcej naszych serc nanizanych na wstążkę, czy też zgoła na sznurek.

Spostrzegliśmy szybko, że z kobietami nie dojdziemy do ładu, bo i mądrzejsi od nas też nigdy nie doszli. Ale płakać po zawodach? Nie! Nigdy! Przeciwnie, trzeba się śmiać – ha, ha, ha! – aby nie myślały, te szkielety „bez serc i ducha”, że nie można bez nich żyć. Nie wierzyły same nigdy i niczemu, czego honor człowieka nigdy znieść nie mógł. Kiedy raz Zygmuś, mój przyjaciel, zagroził Zosi, co miała rude włosy, że się przez nią otruje, i pokazał jej flaszkę półlitrową z trucizną, ona, zamiast mu ją wyrwać z rąk i cisnąć o kamienie, powiedziała najspokojniej:

– Ojej! W środku pewnie jest czysta woda!

W istocie, była we flaszce czysta woda, ale jakim prawem kobieta nie wierzy mężczyźnie, kiedy jej mówi, że wewnątrz jest trucizna? Jakim prawem? A gdyby to była naprawdę trucizna, to co by było, moja pani? I gdyby Zygmunt był ją wypił? Przecie się zdarzają takie wypadki...

W pewnym więc okresie życia, kiedy od miłosnych rozpaczy byliśmy „jako od wichru krzew połamany", a serca nasze były już nie pęknięte, ale pokruszone, tak że je można było sypać wróblom jak okruszyny spleśniałego chleba, postanowiliśmy szukać innych namiętności. Z żywością genialnych ludzi przenieśliśmy się od miłości do polityki. Oczarowani tajnymi związkami zagranicy, postanowiliśmy tworzyć je pośród siebie. Po co? Tego na razie nikt nie wiedział. Związki te były już od urodzenia tak tajemnicze, że my też nie wiedzieliśmy, po jakiego czarnego diabła je tworzymy.

Do pierwszego takiego związku należałem, mając lat trzynaście. Jeśli sądzić po czarności naszych kołnierzyków, musiał to być związek faszystowski. Zebrało się czterech tapirów u jednego z kolegów, aby zaprzysiąc wieczne milczenie. Spuściliśmy story i mówiąc szeptem, postanowiliśmy utworzyć „Związek złotej gwiazdy", choć ciemna gwiazda byłaby symbolem odpowiedniejszym. Twórca tego straszliwego przedsięwzięcia, miły zresztą bałwan w szkole, miłośnik tajemniczości, idealista i romantyk, napisał rotę przysięgi, która była arcydziełem morderczości i wszelkich rozpaczy, zaklinała nas na wszystko w świecie, abyśmy nawet na mękach, aż do śmierci i nawet po śmierci nie mogli zdradzić istnienia związku, którego celem było czynienie dobrego wszystkim i o każdej porze. Tym przynajmniej różniliśmy się od bandytów, zaprzysięgających tajemnicę w Kalabrii albo na ruinach Coloseum. W jaki sposób mieliśmy wszystkim czynić dobrze, tego nikt nie wiedział, był to jednak szczegół drobnej wagi, bo i tak nigdy nikomu nie zrobiliśmy krzywdy. Objawiliśmy tedy gorącą chęć należenia do tak wspaniałego związku, tak pięknie nazwanego, i krzyknęliśmy zdławionym głosem (Baczność! Kucharka jest obok...), że chcemy przysięgać.

– Na Biblię! – rzekł wzruszony prezes.

– Tylko na Biblię!

– Kiedy nie ma Biblii w domu... Ale to nic... Przysięgnijmy na jakąkolwiek książkę, a na drugi raz ktoś przyniesie Biblię!

Przysięgaliśmy wieczystą tajemnicę na czwartym tomie encyklopedii Mayera.

Rozeszliśmy się w milczeniu, z niezmiernymi ostrożnościami, wymykając się chyłkiem i udając, że się w ogóle nie znamy, umówiwszy się przedtem, że członków tajemniczego związku będziemy poznawali w ten sposób: wtajemniczony przykłada palec do czoła i czeka: jeśli zagadnięty odpowie przez dotknięcie prawego ucha wskazującym palcem lewej ręki – ten jest nasz.

Ponieważ w wielkim tym sprzysiężeniu było nas wszystkich razem czterech, trzeba zaś było dokumentować jego istnienie, aby się utwierdzić w dumie towarzysza Jehudy czy też camorrysty, więc spotykając się z sobą dwadzieścia razy na dzień, przy każdym spotkaniu dotykaliśmy czoła, potem ucha, straszliwe strojąc miny, bandyckie i srogie. Znaliśmy się, ale ostrożność nie zawadzi! Były przecież wypadki, że człowiek miał sobowtóra.

Dość to jednak było nudne, taka tajemniczość wśród czterech: należało spróbować, czy się związek nie rozszerzył, czy nie zyskaliśmy nowych potężnych członków; więc kiedy się ze mną wita mocny jeden kolega, tak dobrze się prezentujący, że powinien koniecznie należeć do słynnego „Związku złotej gwiazdy" – ja, uśmiechając się zachęcająco, czynię próbę: uderzam palcem w czoło i patrzę w niego znacząco. Zmarszczył się, ale nie dotyka ucha, bo jest ostrożny; więc raz jeszcze uderzam palcem w czoło; za czym on z krzykiem: „Sam wariat!" uderza mnie w czaszkę.

Może ten nieszczęśliwie pomyślany tajemniczy znak porozumienia się sprawił, że związek nigdy się nie rozwinął. Odbyło się wprawdzie ze trzy czy cztery „specjalne tajemnicze" posiedzenia związku w wyrwach albo dołach, skąd wykopano piasek, miejsca te bowiem najżywiej przypominały Kalabrię, ale nic na nich nie uradzono; zaczęło nam świtać, że założyciel związek po to tylko założył, aby być prezesem. Wobec czego po pewnym czasie, zwolniwszy się z przysięgi na piątym tomie encyklopedii, powiedzieliśmy mu, że zabawa jest wprawdzie bardzo ładna, ale wcale głupia.

Prezes zbladł i rzekł:

– Śmierć was czeka!

– Całuj psa w nos! – odrzekli sprzysiężeni.

Przysłał każdemu z nas wyroki śmierci „do dwudziestu czterech godzin", śmierci gwałtownej, zadanej „nieznanym sposobem". Widać jednak, że się rozmyślił, bo i ja żyję, i inni sprzysiężeni też.

O, miłe czasy! O, bezgrzeszne lata!

* * *

A potem...

Potem zaszumiało żywiej młode serce, a na czole, jak pierwszy wiosenny ptak, usiadła myśl. Szara była i niezgrabna, choć urodzona ze słońca młodości, choć z dalekich przyleciała krajów, gdzie jest wieczna wiosna, aby upaść na ziemię zimną i czarną i ucałować ją.

Zaczęliśmy się uczyć zachłannie, mocno, szybko: uczyć rzeczy pięknych, dobywać zaczęliśmy spod każdego kamienia śpiącą tam miłość rzeczy wiecznych; chwytaliśmy wiatr w płuca, blaski słoneczne w oczy. Krzyknęło młode serce, upojone.

I znów zaczęliśmy stwarzać tajemnicze związki; zjawił się ktoś starszy, z płonącymi oczyma, jasnooki, i silną dłonią trącał nas w piersi, aby w nich wzbudzić echo.

Czytaliśmy rozgorzałymi oczyma, bo choć wszystko wolno było czytać, jednak w tych „kółkach" czytało się inaczej, goręcej, żywiej, serdeczniej. Czytaliśmy najcudowniejszą książkę młodości, Żeromskiego *Syzyfowe prace*, a na każde słowo padała gorąca, kryształowa, srebrna łza.

Już się nie pochłaniało książek nocami, przy świeczce, lecz się pracowicie, wielkim powolnym trudem rozgarniało jej kartki jak skiby ziemi, odwracało się słowo każde jak kamień, aby znaleźć serce książki, żywe, tętniące, buchające ciepłą krwią.

O tym trzeba by napisać wielki, wielki tom. Uczynię to wtedy, kiedy serce we mnie osłabnie, aby cudowną, złotą krwią najbardziej radosnego wspomnienia ożywić serce moje.

Nota wydawcy

Obecna edycja „Bezgrzesznych lat" zawiera pełny tekst utworu, zgodny z jego przedwojennymi wydaniami i zamysłem Autora; nie uwzględniono w nim dodawanego w kilku powojennych edycjach rozdziału dziewiątego „Z nowych dni: złotowłosa dziewczynka", jako pierwotnie nie należącego do całości dzieła.

Spis treści